BELSER STILGESCHICHTE

BAROCK UND ROKOKO

ERICH HUBALA

BAROCK UND ROKOKO

MIT 187 ABBILDUNGEN

Manfred Pawlak
Verlagsgesellschaft mbH.
Herrsching

1981 Lizenzausgabe für Manfred Pawlak, Verlagsgesellschaft mbH., Herrsching
Mit freundlicher Genehmigung des Belser Verlages, Stuttgart und Zürich.
© 1971 by Belser AG für Verlagsgeschäfte & Co. KG, Stuttgart und Zürich.
Gesamtherstellung: ◼ Druckerei Uhl, Radolfzell. Printed in Germany
ISBN 3-88199-044-5

EINLEITUNG

Erst seit etwa hundert Jahren begreifen wir den *Barock* als selbständigen Kunststil zwischen Renaissance und Neoklassik. Der barocke Künstler wußte nichts vom Barock. Erst um die Mitte des 18. Jahrhunderts, als die Barockkunst fremd zu werden begann oder es nach dem Willen der rationalistischen Kunstkritik werden sollte, benannte man sie, und zwar mit dem Eigenschaftswort „baroque", das soviel wie schlechter, bizarrer oder regelwidriger Geschmack bedeutete, aber auch Ansätze zu einer primitiven Formkennzeichnung enthielt („baroquer" nannten die Kunsttischler das Drechseln und Kurvieren). In die Schimpfkanonade gegen den Barock mischten sich im Zeitalter des Sturm und Drangs auch andere Töne, so bei Wilhelm Heinse, 1777 (Briefe aus der Düsseldorfer Gemäldegalerie), oder bei Goethe (Notizen für den Aufsatz über Baukunst 1795: „Sinn für Pracht und Größe – Gegenwart aller Mannigfaltigkeit") und im undoktrinären Gebrauch des Wortes barock (Wieland 1808 über Goethes Faust I: „eine barocke-genialische Tragödie"). Solche Ansätze eines aufkeimenden Verständnisses der Barockkunst gingen jedoch seit 1830 in der Woge von Begeisterung für die italienische Renaissance unter, deren Höhepunkt der „Cicerone", 1855, und „Die Kultur der Renaissance in Italien" von Jakob Burckhardt bezeichnen. Jetzt war Barock die späte Phase der italienischen Renaissance, ihr Verfall, ihre Entartung, womit der Grund für die kunsthistorische Begriffsbildung schon gelegt war, auch wenn der Barock noch nicht als selbständiger Zeitstil und negativ beurteilt wurde. Als sich seit 1860 immer mehr Künstler und Architekten mit Sympathie dieser angeblichen Verfallskunst zuwandten, unter dem Eindruck des Impressionismus Velázquez, Frans Hals und schließlich Rembrandt entdeckt wurden (Eugène Fromentin, Les maîtres d'autrefois 1876, Carl Justis Velázquezstudien seit 1867), J. Burckhardt vom „wachsenden Respekt für den Barocco" sprach und die Kunstgeschichte im Wettstreit mit den Naturwissenschaften sich anschickte, methodisch autonom zu werden und sich von der Ästhetik zu emanzipieren, entstand die stilgeschichtliche Fundamentalkonstruktion vom Barock (Heinrich Wölfflin 1888, Alois Riegls Wiener Vorlesungen, posthum 1907 herausgegeben), derzufolge der Barockstil sich in Rom seit 1520 aus der Renaissance und im Gegensatz zu ihr entwickelt habe und ungefähr 200 Jahre, bis 1720/30, in der europäischen Kunst herrschend geblieben sei.

Die wichtigsten Korrekturen an dieser Vorstellung erbrachte die zweite intensive Phase internationaler Barockforschung 1918/20–1940, und zwar durch die Entdeckung des *Manierismus* und seine (vielleicht voreilige) Proklamation als selbständigen Zeitstil. Denn seither gilt vieles, was Wölfflin 1888 als „schon barock" bewertete – z. B. die erste römische Jesuitenkirche, der *Gesù* –, als manieristisch, und die Entstehung des Barockstils in Rom wird folgerichtig erst 1590–1610 datiert und als „antimanieristische" Bewegung beurteilt (Walter Friedländer 1927). Ferner gestaltete sich das Bild vom sog. „Spätbarock" im Verlauf der Forschung vollkommen neu. Man erkannte um 1690 eine „zweite" barocke Stilbildung in der österreichischen Architektur, in Böhmen, in Main- und Rheinfranken, in Bayern und in den alemannischen Gebieten des Alpenvorlandes (W. Pinder 1912, H. Sedlmayr 1925, 1930, K. Lohmeyer 1928/29, Prager Barockausstellung 1938), die eine Blüte des Barocks in diesen Ländern, aber auch in Berlin und in Sachsen, bis 1740/60 veranlaßte. Damit war die stupide

Vorstellung von der Gleichzeitigkeit als höchster Wert der Stilgeschichte über den Haufen gerannt, und das Problem des „Spätbarocks" (H. Rose 1923) stellte sich von neuem. Es ist zwar bis heute noch nicht gelöst worden, läßt sich aber am besten durch die Unterscheidung von zwei inhaltlich verschiedenen Spielarten des Barocks seit etwa 1660 umschreiben. Die eine zeigt sich in lokalen Entwicklungen des italienischen Barocks (Neapel, Florenz, Genua, Venedig) oder in nationalpolitischen, deshalb auch reduzierten Formen in Frankreich, Holland, England und Skandinavien. Die andere wird zwar ebenfalls seit 1650/60 deutlich, kann aber nicht nur chronologisch, sondern muß inhaltlich und genetisch definiert und beurteilt werden. Dieser „Ornamentisten-Barock", dessen Wurzeln in die Spätgotik zurückreichen, hat sein Stammgebiet einerseits in den Ostalpen und andererseits in den flämischen und deutschen Niederlanden, in Westfalen, im Weserland und in Nordelbingen. Dort ist die Überlieferung der Holzschnittkunst seit dem 15. Jahrhundert nie abgerissen und auch während des 16. und 17. Jahrhunderts nur äußerlich modifiziert worden. Im Alpenland trat seit 1560 auch der Stuck als Werkstoff für figürliche, ornamentale und geometrische Dekoration hinzu, und besondere Genossenschaften sorgten für das Fortleben alter Traditionen (z. B. die „Wessobrunner" Stukkatoren, die „Vorarlberger" Baugenossenschaften). Der alpenländische Ornamentisten-Barock orientierte sich an italienischen, der norddeutsche an niederländischen Vorlagen und Anregungen, und seit 1680/90 nutzen beide Strömungen auch den französischen Ornamentstich (Jean Berain). Meisterwerke dieses Spätbarocks sind z. B. Altäre und Kirchenmöbel, so das Chorgestühl in Leubus (seit 1678 von Matthias Steinl) oder der Doppelaltar in St. Wolfgang am Abersee (1675/76 von Thomas Schwanthaler), und im Norden auch Epitaphien, so z. B. von H. Gudewerdt in Eckernförde bei Kiel (um 1653). Zweifellos haben die Ornamentisten, die in Rom gar keine Rolle spielten, während Venedig in der Brustolon-Werkstatt eine gewisse Parallele dazu aufweist, die Selbstverwandlung des Barockstils nördlich der Alpen begünstigt und besonders die Sonderformen des Rokokos vorbereitet und bestimmt. Der spanische Barock des 18. Jahrhunderts gehört weitgehend zu diesem Ornamentisten-Barock, und zwar aufgrund einer autochthonen Entwicklung.

Der Barock setzt die Renaissance nicht nur chronologisch, sondern auch inhaltlich voraus. Auch der Barockbaumeister bedient sich der Vokabeln und der Grammatik der antikischen Säulenordnungslehre, auch für ihn besteht die Kunst in Gliederung und damit in den Verhältnissen, die sich im Zusammenwirken der Formen nach Höhe, Breite und Länge („Tiefe") darstellen. Die Themen und Gattungen der Barockmalerei sind dieselben wie die der Renaissance, einschließlich des Deckenbildes als eines für den Betrachter konzipierten Figurenbildes. Den sog. *Illusionismus*, also die Vortäuschung von Räumlichkeit als fiktive Erweiterung des Lokals, in dem sich der Betrachter befindet, haben bereits Künstler um 1500 in extremer Weise verwirklicht (Bramantes Scheinchor in S. Maria presso S. Satiro in Mailand, vgl. Bd. VIII, Abb. 18), nicht erst der Barock. Gewiß sind das nur Typen, Aufgaben, also konventionelle Anlässe für die künstlerische Gestaltung, aber sicher echte Bestandteile der Kunst, die auf einen größeren geschichtlichen und kulturellen Zusammenhang hinweisen, dem Barock und Renaissance angehören und der sich mit dem Begriff des europäischen Humanismus umschreiben läßt. Daß er auch für die künstlerischen Belange im engeren Sinne nicht gleichgültig war, wird deutlich, wenn man bedenkt, daß die Epoche des Humanismus und der Säulenordnung auch das Zeitalter des bildimmanenten Helldunkels war (Ernst Strauss) und daß der elementare Farbkontrast von Blau und Rot, der in der Barockmalerei zweifellos grundlegend ist, schon von Tizian in seiner ganzen Tragweite für die koloristische Harmonik im Sinne einer Tonalität genutzt wurde (Th. Hetzer). Grundsätzlich aber unterscheidet sich der Barock von der Renaissance durch das Vermögen, in der Architektur und in den Bildkünsten ein Ganzes zu geben – nicht nur die koordinierte oder subordinierte Einheit, sondern „Äquivalentien". Mit diesem glücklichen Begriff erfaßte bekanntlich Jakob Burckhardt bei Rubens die Bildform als Ganzheit, in der selbst die schärfsten Gegensätze aufgehoben sind. Bei diesen barocken Äquivalentien geht es nicht mehr um das Auswiegen gleicher oder ähnlicher Figuren, sondern um eine geistige Symmetrie, die sich als Bilderscheinung darstellt und imstande ist, physisch und moralisch Ungleichwertiges in einem auch optisch beruhigten Ganzen zu bewältigen. Solche Äquivalentien lassen sich nicht mehr mit den Augen der Renaissance messen, wägen und zählen, können nicht rein quantitativ mit- und gegeneinander verrechnet werden, wie das der übliche Begriff der „Einheit", der ein altes Schulgut der rationalistischen Ästhetik ist, stillschweigend voraussetzt. Denn es handelt sich um Qualitäten, die zwar anschaulich wirksam sind, also vom Menschen auch verstanden werden können, die aber nicht mehr „metrisch", sondern „physiognomisch" ausgewogen werden. Bei Seelenblindheit bleibt die Barockkunst stumm, sie muß mit „äußeren" und „inneren" Augen gesehen werden, wenn ihr auf das Ganze des Menschen bezogener Sinn begriffen werden will. Das alles erinnert an das Prinzip der „übergreifenden" und „übergriffenen" Formen (H. Sedlmayr 1933) der hochmittelalterlichen, gotischen Kunst. Die Kunst des Barocks, durch Äquivalentien ein Ganzes zu schaffen, mag deshalb manchem als eine Wiederkehr der „übergreifenden" Form auf höherer Ebene und in organischen Verhältnissen erscheinen. Anderen hingegen wird der Barock gerade wegen dieses Vermögens verdächtig bleiben, weil sie ein metaphysisches Prinzip in der Kunst nicht zulassen wollen.

Barocke Kunst ist Phantasiekunst. Eben dies macht das Geheimnis der Äquivalentien verständlich. Denn nur die Tätigkeit der Phantasie verbürgt in der Kunst jene Analogie zwischen Erscheinung und Wesen, zwischen Form und Kraft, die für den Barock ein Axiom ist. Insofern verfährt der Barockkünstler wie der Dichter, dessen sprachliches Material dasselbe aller Menschen einer Zunge ist, mit dem er aber etwas darstellen kann, was wir zwar aufzufassen, nicht aber hervorzubringen vermögen. Dieser Typus des artifex poeta (K. Badt) ist das Idealbild des Barocks und der Garant seiner Wirkung auch im „nachbarocken" Zeitalter bis heute. Bernini, der von Poussin sagte, er sei „un gran favolatore", und Rubens, von dem Burckhardt meinte, er sei neben Homer der „größte Erzähler" im Reich der Kunst gewesen – ein Vergleich, den schon J. J. Winckelmann gebrauchte –, geben die vollkommensten Beispiele dieser Art ab und auch Rembrandt, den Fromentin einen „Ideologen" nannte. Und wie könnte man die Meisterwerke der Barockbaukunst, den Petersplatz in Rom, die Wiener Karlskirche oder die Wallfahrtskirche Vierzehnheiligen, besser kennzeichnen als mit Wilhelm Diltheys Begriff einer „Phantasiekunst"? Er trifft auch für die holländische Landschaftsmalerei zu, die noch vor hundert Jahren als nichts anderes galt denn als abgemalte „Wirklichkeit", ganz zu schweigen von Claude Lorrain. Freilich gibt es in den Barockbildern eine Wahrscheinlichkeit, also eine fortwährende und sofort erkenntliche Beziehung zu unserer geläufigen Erfahrung des Natürlichen, aber selbst bei den sog. „Realisten" tritt auf der Schwelle des Wahrscheinlichen die Imagination auf. Es gibt im barocken Kunstwerk eine Idealität, die sich von der Tageswirklichkeit oft nur haarfein abhebt und auch dort nicht zu verkennen ist, wo etwa im Bilde der dargestellte Gegenstand scheinbar trivial ist wie bei Caravaggio oder Georges de La Tour. Solche Kraft der Verwandlung, die auf dieser Stufe der Kunstentwicklung undenkbar ist ohne die Rolle der Phantasie, belebte noch einmal die antiken Mythologien, die Konstruktionen der Allegorie und den Wunderglauben, der Himmel und Erde zu umfassen imstande ist.

Der Kunstbegriff der *Phantasie* erklärt auch das Verhältnis des Barocks zur Antike und zur Natur. In den Augen des Rationalisten, der sich als Klassizist fühlt, spricht der Barock der antiken Kunst hohn. Denn für ihn bedeutet die Antike einen materiellen Besitz, den man faksimilieren muß, um ihn zu verbreiten. Für den barocken Künstler hingegen waren die antiken Statuen, Bauten und Bilddokumente Zeugnisse eines vergangenen herrlichen Lebens, das ebenso in den Schriften der Alten überliefert war, selbst wenn man sie im „Urtext" gar nicht lesen konnte, sondern sie sich nacherzählen oder auf eine Fabel reduzieren ließ, und das es galt mit der Kraft eigener Vorstellung zu ergreifen und im Werk zu vergegenwärtigen. Entsprechendes gilt auch für die Naturbeobachtung. Oft bezaubern uns diese Naturstudien, die im Barock ausnahmslos Zeichnungen sind und nicht Gemälde, wegen der akuten Beobachtungsgabe, des treffsicheren Blicks und auch wegen des nicht selten darin wirksamen Humors. Mancher bedauert, daß Annibale Carracci, Rubens, Poussin oder Guercino nicht gemalt hat, was er zeichnete oder skizzierte. Aber ein genaueres Studium der barocken Zeichnungen vermag zu zeigen, daß der Barockmaler auch schon beim „Abzeichnen" verändert, auswählt, umbildet – verwandelt. Und wenn er dann aus der Fülle solcher Natur- und Antikenstudien seine Figuren oder Landschaften als Gemälde schuf, verwertete er das Ganze seiner Studien, nicht mehr nur ein oder das andere Motiv. Deshalb schließt sich der antike Prototypus und das Studium „nach der Natur" im Barock nicht aus; beides gehört zu den Bedingungen der Gestaltung. Selbst bei Caravaggio, dem man als sog. Naturalisten geistloses Abmalen von gewöhnlichen Modellen vorgeworfen hat, wird die Figur im Bilde idealisiert, und sei es nur durch die ausgeprägte Schönfarbigkeit, ja, man kann zeigen, daß Caravaggio für seine Figuren auch antike Prototypen verwertet hat. Der Vergegenwärtigung wirkt im barocken Kunstwerk die „Entrückung" entgegen, beides gehört zu der Eigenart und zu der Schönheit barocker Kunst.

Auffallend ist im Barock die Vorherrschaft der bildenden und darstellenden Künste gegenüber der Literatur und Philosophie, sowohl was den Umfang und die Schätzung betrifft als auch nach Rang und Qualität. Nur in demjenigen Bereich, der alle Künste vereinigt und wo der Mensch als darstellender Künstler selbst auftritt, im *Theater* nämlich, hat auch das 17. Jahrhundert in der Dichtung hervorragende Meisterwerke geschaffen, besonders in England, Frankreich und Spanien. Das Schauspiel im umfassenden und weitesten Sinn war im 17. Jahrhundert, das die Oper zur europäischen Anerkennung brachte, das Lieblingskind der Zeit, die sich an „Verkleidung" und „Einkleidung" sichtlich erfreute, auch in Bildern und Statuen. Die „festa teatrale" wurde zu einem festen Bestandteil der fürstlichen Repräsentation (H. Tintelnot), für deren Inszenierung alle Künste eingesetzt wurden, wobei der architektonische Rahmen bis ins 18. Jahrhundert das ordnende Moment darstellte. Mit dieser elementaren „Schaulust" hängen aber auch die prekären Modekrankheiten des Barocks zusammen, die Freude am Augentrug mit allen philiströsen und trivialen Nebenerscheinungen, der gewaltige Aufwand des Kostüms, die Massenhaftigkeit der dekorativen Produktion oder die höchst merkwürdige Einrichtung pompöser Schaustellungen bei illustren Todesfällen: „pompe funèbre".

Genetisch verstehen wir den Barock heute als Reaktion gegen den internationalen Manierismus, nicht mehr als eine Selbstverwandlung und als absoluten Gegensatz zur Renaissance wie noch um 1900. Dem Manierismus als analytischer Kunst par excellence mit seiner Vorliebe für die gedankliche Spekulation und das formale Experiment, für Kleinplastik und Kabinettbild und für einen Klassengeschmack, trat der Barock als synthetischer Stil entgegen mit umfassendem Anspruch und im monumentalen Sinn. Das war in Rom um 1600 ganz offensichtlich. In diesem *Antimanierismus* des Barocks zeigt sich zugleich eine Wahlverwandtschaft mit der Hochrenaissance, die das Wort vom Barock als einer „Re-naissance" der Renaissance verständlich macht und zeigt, daß der neue Stil kein vaterloser Geselle eines virtuosen Empirismus war. Der Ruhm Raffaels hat im 17. Jahrhundert nie geschwankt, die Hochschätzung Correggios ist vielfach bekundet, selbst Dürer fand bei großen Barockmalern – z. B. bei Rubens und Poussin – Anerkennung, und Tizian wurde verehrt, studiert und eifrig gesammelt. Erst im Barock wurde Leonardos Traktat über die Malerei ediert, übrigens mit Zeichnungen von Poussin. Die 1506 begonnene Peterskirche in Rom blieb für alle Barockbaumeister die hohe Schule neben dem Antikenstudium. Maderno, Borromini und Cortona beriefen sich auf Michelangelo, und Bernini erklärte 1665 in Paris, daß Michelangelo als Architekt nicht zu übertreffen sei. Und wenn man der Barockarchitektur das Fehlen einer eigenen Traktatliteratur vorwirft, muß bedacht werden, daß die italienische Kunstliteratur von Alberti bis Palladio und Scamozzi auch im 17. und 18. Jahrhundert exemplarischer Lehrstoff gewesen ist. Gerade das Fehlen einer „eigenständigen" Architekturtheorie beweist den ideellen Zusammenhang des Barocks mit der Renaissance.

Der Barockstil entstand in *Rom*. Dieser Satz ist geradezu die Kernthese der Stilgeschichte geworden. Er stimmt für die Architektur und Skulptur zweifellos: Der mächtigste Beweis dafür ist St. Peter in Rom. Anders liegen die Verhältnisse bei der Barockmalerei. Gewiß ist der Prozeß der barocken Stilbildung nicht in Venedig, wie man nach der mißverständlichen Gleichsetzung von Barock und Malerisch annehmen könnte, sondern in Rom eingeleitet worden, und zwar mit der „These" des Bolognesen *Annibale Carracci* (1560–1609), dessen Gewölbefresken in der Galleria Farnese zu Rom deutlich genug auf Raffael hinweisen, und mit der „Antithese" des Lombarden *Caravaggio* (1573–1610), der allerdings nicht auf römische, sondern auf oberitalienische Bildgedanken der Hochrenaissance zurückgriff. Aber die „Synthese" aus diesem scheinbar so gegensätzlichen Beginn wurde nicht von einem Italiener und nicht in Rom gezogen, sondern von *Rubens* (1577–1640) nach seiner Rückkehr aus Italien seit 1609 in Antwerpen mit jenen Meisterwerken, die unzweifelhaft die vollkommene Bekundung des Barockstils enthalten. Dieser Sachverhalt ist vielleicht zu wenig beachtet worden. Er zeigt, daß die oberflächliche Identifizierung von „Rom" = „Italien" nicht schlüssig ist, daß wir jedenfalls für die Barockmalerei mit einer doppelten Wurzel des Stils zu rechnen haben, mit einer italienischen und einer nordischen. Wie soll man sonst den Anteil von Adam Elsheimer, Paul Bril, Claude Lorrain und Poussin an der Ausbildung des barocken Landschaftsbildes in Rom erklären? Wie die Neigung holländischer Maler, einschließlich Frans Hals und Rembrandt, zu Caravaggio, das Echo, das Rubens und van Dyck in der genuesischen Malerei fanden, die mühelose Einbürgerung des Jan Liss in der venezianischen Malerei, die Reflexe, die sich in Italien im späten 17. Jahrhundert von der Radierkunst Rembrandts zeigen? Der rege Austausch zwischen Künstlern aus Nord und Süd im Barockzeitalter reicht als Erklärung dafür nicht aus, denn er bestand im 16. Jahrhundert und intensivierte sich während des internationalen Manierismus. Der Barock aber ist eben keine „internationale" Kunst, vielmehr sind erst im 17. Jahrhundert die verschiedenen Nationen in der Kunstgeschichte mit eigener Physiognomie hervorgetreten. Auch handelte es sich im 17. und 18. Jahrhundert und bei den erwähnten Beispielen nicht bloß um die „Übernahme" von Motiven oder Themen, sondern um eine innigere, die Gestaltung selbst betreffende Einigung zwischen Nord und Süd, die nur als lebendiges Bündnis im Stil verstanden werden kann.

Trotz der doppelten Wurzel des Stils besteht kein Zweifel an der Führerrolle von *Rom* im Barock. Dies Phänomen hat zwei Seiten. Die eine betrifft die Realität Rom: die Stadt der antiken Denkmäler, der Meisterwerke der Hochrenaissance, die Metropole der römischen Kirche, die Goethe – ziemlich deutsch – als „barockes Heidentum" apostrophierte, den einzigen Ort im damaligen Europa, wo es geistige Freiheit, undoktrinäres Mäzenatentum, freizügiges Leben gab und einen Begriff der menschlichen Natur, nach dem man sich woanders nur sehnen konnte, der Bernini, Elsheimer, Poussin und Claude Lorrain an die Ewige Stadt bis zum Tode fesselte. Die andere Seite dürfte uns heute schwer verständlich sein, muß aber gesehen werden, wenn man das 17. und 18. Jahrhundert verstehen will. Sie betrifft Rom als Idee, als Vision und magnetisches Kraftfeld des Geistes, Rom, das imstande war, Phantasie- und Willenskräfte weitab von Italien aufzuregen, ihnen eine Richtung zu geben, sie zur Selbstverwirklichung zu veranlassen, die sonst nicht zu erreichen war. Was diese Rom-Idee vermochte, sehen wir an der Wendung, welche die französische Nation schon im 16. Jahrhundert in der Literatur und Politologie anstrebte und im 17. Jahrhundert in allen Lebensbereichen und unter der Führung der bildenden und darstellenden Künste auch genommen hat. *Paris* wird, vollends seit 1660/65, das neue Rom. Der vielzitierte „Führungswechsel" zwischen Rom und Paris ist im ganzen gesehen Ausdruck einer Kontinuität und die Folge eben dieser geheimnisvollen Bannkraft des Rom-Gedankens. Es ist ganz absurd, diese weltgeschichtliche Erscheinung, die bis auf den heutigen Tag nachwirkt, durch eine hausbackene Einflußtheorie erklären zu wollen, denn Frankreich ist kaum jemals „französischer" gewesen als in eben dem Jahrhundert des Barocks, das die Franzosen das „Große" nennen.

Die sog. „Gegenreformation" bildete für die Entstehung des Barockstils gewiß eine Voraussetzung, nicht aber eine Bedingung und sicherlich keine Ursache. Weder die großen

Reformpäpste Pius V., Gregor III. und Sixtus V. zeigen eine Spur des sprichwörtlich barokken Lebensgefühls noch die Ordensgründer Cajetan von Thiene, Ignatius von Loyola, Filippo Neri oder Karl Borromäus und der Kardinal Baronius. Die Kunstwerke, die sie veranlaßten oder förderten, haben nichts Barockes an sich. Von Michelangelo abgesehen, war die römische Malerei 1530–90 manieristisch (H. Voss, N. Pevsner, W. Friedländer), auch dann, wenn sie sich strikt den Gedanken, Forderungen und Bedürfnissen der Reformer fügte und in Thema und Kleiderordnung die Empfehlungen des Tridentinischen Konzils beachtete. Die *Kongregationskirche*, die von der Reform seit 1530 in Rom ausgebildet wurde, entsprach als übersichtlicher Saalraum, häufig mit Flachdecke, durch die funktionsgerechte Anordnung der Kanzel, der Zugänge, des Hauptaltars, der Vorhalle und der Nebenräume dem liturgischen Bedürfnis (M. Lewine) und stellte auch baulich die Einheit der Gemeinde als fortwährendes öffentliches Bekenntnis eindrucksvoll dar, war aber nüchtern, schmuckarm, anspruchslos. Der barocke Eindruck, den heute manche im 16. Jahrhundert erbaute römische Kirche erweckt, beruht durchweg auf der Dekoration des 17. Jahrhunderts, nicht auf der Architektur des Cinquecento. Das gilt auch, abgesehen von St. Peter, für *Il Gesù*, die erste Jesuitenkirche in Rom (1568–84). Was den Gesù architektonisch monumental macht und was im Barock außerhalb Italiens oft als vorbildlich erachtet wurde, nämlich die Verbindung des weiträumigen, tonnengewölbten Langhauses mit dem hochragenden Kuppelbau der Vierung, das läßt sich aus der Kongregationskirche der Reformer und aus ihrem Programm nicht erklären. „Reform" im besten Sinne sind dagegen die städtebaulichen und urbanistischen Maßnahmen des 16. Jahrhunderts, besonders unter Papst Sixtus V. Peretti (1585–90): das weitausgreifende Straßennetz zwischen den sieben Hauptkirchen Roms, die Aufrichtung der heidnischen Obelisken als Wegweiser und Siegeszeichen der Kirche und die neue Wasserleitung, die in der Brunnenwand bei S. Susanna (Aqua Sistina) mündet. Aber wie verschieden von der barocken Stadtbaukunst des 17. Jahrhunderts ist diese Pionierleistung des großen Reformpapstes! Wie anders wird doch im Barock Wasser gespendet! Man vergleiche die Obelisken Sixtus V. mit kleineren, die Bernini auf den Vierströmebrunnen der Piazza Navona oder auf den Rücken des Elefanten vor S. Maria sopra Minerva setzte, beachte, wie bei Sixtus V. die Pilgerwege eilig über Berg und Tal dahinspurten, und setze dagegen die oft kleinen, plötzlich sich auftuenden Barockplätze vor S. Andrea al Quirinale, S. Maria della Pace und S. Ignazio! Die Unterschiede, die man erfahren wird, sind stilistische Gegensätze, und nur die eine Auffassung von Ort, Wohlbehagen, Bewegung und Blickfeld kann barock genannt werden, und nur die andere verkörpert und dokumentiert den strengen, kunstlosen, aber politisch akuten Geist der katholischen Reform. Auch in *Prag*, wo nach 1620 eine radikale Re-Katholisierung einsetzte, behielt die Baukunst bis etwa 1690 einen strengen, zwar großzügigen, aber unlebendigen Charakter. Erst dann füllte sich alles mit Leben und mit festlich-freudiger Bewegung, zu einer Zeit, als nichts mehr in Böhmen und Mähren die Herrschaft der Kirche in Frage stellte. Man wird deshalb, sofern es nötig ist, mit Peter Meyer im Barockstil den „Ausdruck einer gefestigten Autorität" erblicken, „die nicht mehr um Anerkennung kämpft, sondern sich breit entfaltet".

Anders steht es mit dem Verhältnis des Barocks zum *Absolutismus*. Die französische Kunst seit 1661, besonders in *Versailles*, ist ein vielzitiertes Beispiel für die Dienstleistung des Barocks an der prunkenden Selbstdarstellung des Monarchen. Überall in Europa treten geistliche und weltliche Fürsten als barocke Bauherren auf; ihre Ausgaben für Feste, für temporäre und monumentale Dekorationen sind erstaunlich hoch. Die Geschichte des europäischen Schloßbaus nimmt materiell bisher unbekannte Ausmaße und stilistisch eindeutig barocken Charakter an. In kühner Kreuzung werden Motive des Sakralbaus wie die Außenkuppel dem Schloß aufgeprägt, aus dem Typus der „Casa di Villa" des 16. Jahrhunderts entwickelt sich das „château de plaisance". Der Saal, das Treppenhaus nehmen Form und Prätention von Pracht- und Sakralräumen an, mit ausgedehnten Parkanlagen und kostspieligen Brunnenwerken, Kanälen und Fontänen verbreitet sich das *Fürstenschloß*. Solche Hinweise, die sich vermehren ließen, beweisen allerdings zunächst nur so viel, daß sich die Mächtigen im 17. und 18. Jahrhundert zur Repräsentation verpflichtet fühlten und daß sie damit einem sozialen Bedürfnis entgegenkamen, das im Verlauf der fortgesetzten Religionskämpfe des 16. Jahrhunderts übermächtig angewachsen sein mußte. Ferner ist zu bedenken, daß die Hof- und Staatskunst Ludwigs XIV. das Arsenal der römischen Barockkunst zwar kräftig geplündert, das Gewonnene aber nur fragmentarisch den eigenen Idealvorstellungen dienstbar gemacht und dem Schauspiel künstlerischer Selbstdarstellung eingefügt hat. An dem Prozeß der barocken Stilbildung in Rom um 1600 hatte aber weder die Idee des absoluten Fürsten noch das immer mächtiger werdende Ideal des absoluten Staates einen erkennbaren Anteil gehabt, jedenfalls keinen größeren als z. B. in der „klassischen" Kunst um 1500 unter Julius II. Rovere, wo bekanntlich kein Barockstil entstand, oder im Spanien Philipps II., dessen Klosterschloß Escorial die Verbindung von Krone und Kirche so beispielhaft zum Ausdruck bringt, ohne doch als barockes Meisterwerk bisher erkannt worden zu sein. Und was die erwähnte Kreuzung des „sakralen" Kuppelmotivs mit einem „profanen" Bau betrifft, so fand diese erstmals im venezianischen Villenbau (Villa Rotonda Palladios, vgl. Bd. VIII, Abb. 36, 48) und im durchaus unbarocken französischen Schloßbau des 16. Jahrhunderts (Paris, Tuilerien, Verneuil) statt, ohne daß man deshalb geistesgeschichtlichen Lärm geschlagen hätte. Der Barock läßt sich also nicht so einfach aus dem Absolutismus „erklären", aber im Unterschied zum Schlagwort vom Barock als Kunst der Gegenreformation enthält die liebgewordene Gleichsetzung von Barock und Absolutismus doch einen wahren Kern und eine echte Parallele: Die Kunst konnte im Zeitalter des Barocks der fürstlichen und staatlichen Prachtentfaltung dienen, ohne ihren Stil preisgeben zu müssen. Dies deutet wohl darauf hin, daß sich seit 1600 eine gewisse Solidarität unter den Mächtigen und dem ohnmächtigen Volk entwickelt hatte. Diese Vermutung wird bestärkt durch die Ausbreitung des Barockstils über die Grenzen der Konfessionen hinaus nach Berlin, Sachsen, Holland (Abb. 79), England (Abb. 75, 76) und Skandinavien (Abb. 80, 81). Um 1700 hat der Barockstil selbst für die Antipapisten den Geruch des Katholischen weitgehend verloren, er ist die gemein-europäische Metasprache der Kunst geworden, die einzige Sprache des Friedens, die damals in Europa von allen verstanden wurde.

Rom, Paris und der *zentraleuropäische Barock*, das sind die drei Säulen, auf denen die Geschichte europäischer Baukunst 1600–1760 beruht. Demgegenüber besitzen alle übrigen nationalen Sonderformen – auch in Spanien – nur begrenzte historische Bedeutung oder sind Filiationen, die sich ohne die genannten drei Kunstkreise nicht verstehen lassen, wie die Architektur in Turin, Amsterdam, London, Stockholm, Leningrad oder Warschau zeigt. Jeder der drei Kunstkreise ist für sich betrachtet durchaus eigentümlich und stellt den Abschluß eines langen, autochthonen Bildungs- und Entfaltungsprozesses dar, wobei Rom und Paris stellvertretend für Italien bzw. für Frankreich stehen, enge genetische Bindungen zur Baukunst des 16. Jahrhunderts aufweisen und besondere architektonische Systeme zur Ausbildung brachten. Alle drei aber sind doch miteinander verwandt und ergeben in der Reihenfolge, in der sie hier genannt wurden und die zugleich eine unumkehrbare kunstgeschichtliche Sequenz darstellt, ein sinnvolles Geschichtsbild, das erst als ein Ganzes betrachtet den Begriff einer europäischen Barockarchitektur rechtfertigt. Der römische Barock bildet das Fundament. Er wurde seit 1630/35 Anlaß, Maßstab und Moderator für die Bildung des „style classique" in Frankreich, also für jene im Charakter so deutlich von Rom unterschiedene französische Sonderform der Barockarchitektur, welche die beiden „Erbsünden" der Renaissance, nämlich Klassizismus und Manierismus, für hundert Jahre überwinden oder wenigstens zurückdrängen konnte. Die chronologisch „späte", inhaltlich aber „hohe", d.h. reife Blüte der Barockkunst 1690–1760 in den Ländern des alten Reiches schloß sich nicht nur an Rom, sondern auch an Paris an. Im Hinblick auf den stilgeschichtlichen Idealtypus „Barock" kann man deshalb das Verhältnis der drei Kunstkreise zueinander unter dem Bild eines dialektischen Entfaltungsprozesses sehen, wobei Rom als These, Paris als Antithese und der zentraleuropäische Barock als Synthese zu werten sind. Die innere Folgerichtigkeit dieses Vorgangs erhellt allein schon aus der Tatsache, daß die synthetische dritte Phase, die im Unterschied zu den beiden anderen kein Geschöpf urbaner Kultur gewesen ist und deshalb auch kein Kunstzentrum im Sinne von Rom und Paris besessen hat, im Kirchen- und Schloßbau, den beiden führenden Aufgaben der Epoche, aus allem Bisherigen die Summe gezogen hat. Das unterstreicht die Berechtigung, den gesamten dreigliedrigen Entfaltungsprozeß 1600–1760 stilgeschichtlich als barock zu deuten, auch wenn die dritte Phase z.T. gleichzeitig mit dem Rokoko ist und während des genannten Zeitraums selbstverständlich vieles gebaut wurde, was in keinerlei Weise barock genannt werden kann.

Als Geburtstag des barocken Roms kann der 18. November 1593 gelten, an dem das von Papst Clemens VIII. Aldobrandini geweihte vergoldete Gipfelkreuz auf der Laternenspitze der eben vollendeten *Peterskuppel* aufgerichtet wurde (Abb. 9). Seither besitzt nämlich das römische Stadtbild seinen maßgeblichen Zenit und Europa eine lebendige Anschauung von Architektur, die alles übersteigt, was die Renaissance zu geben imstande war, und ausschließt, was die manieristischen Malerarchitekten in der Baukunst nicht zu lassen vermochten. Eben diese Anschauung war in dem doppelschaligen Gewölbebau von der inneren Spannweite des Pantheons mit der unbeschreiblich schönen Kuppellinie über dem mäch-

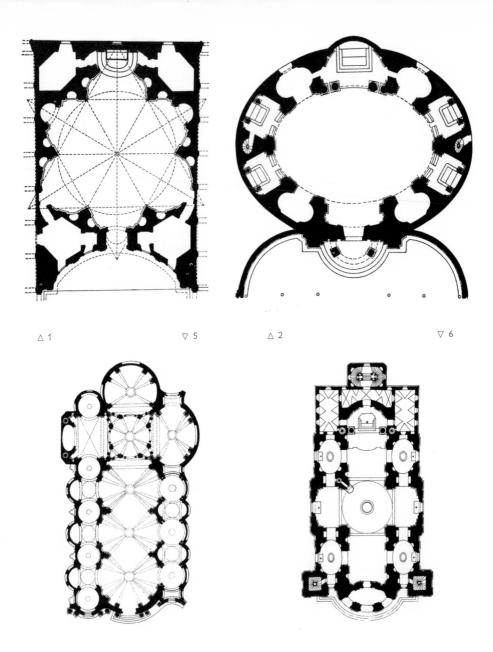

△ 1   ▽ 5   △ 2   ▽ 6

1-8 Barocke Umbildung von Zentral- und Langkirchen (1–4 bzw. 5–8) durch alternierende Konchenbildung (1), Kontrapost von Haupt- und Anräumen (2, 3), durch Zusammenschluß von runden mit ovalen Haupträumen mit bohnenförmigen Abseiten (4) und durch Herausbildung von Gruppen, Reihen und Ketten von „Einheiten" (5, 7, 8), wobei auch die strenge Ineinsbildung von Kuppelbasilika und Kreuzkuppelkirche Beachtung verdient (6). Als „Summe" solcher Bestrebungen im deutschen Kirchenbau des 18. Jahrhunderts ist J. B. Neumanns Wallfahrtskirche Vierzehnheiligen (Abb. 47) hinzuzuziehen.

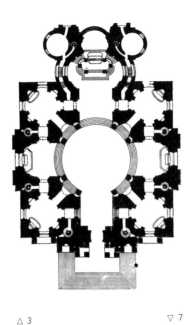

△ 3

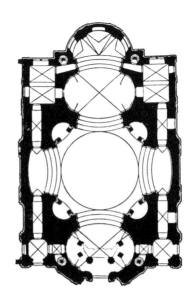

▽ 7

△ 4

▽ 8

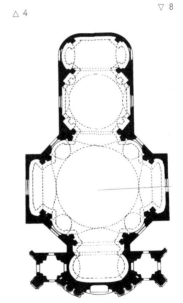

1 Rom, S. Ivo della Sapienza. 1642–50 von Borromini. – 2 Rom, S. Andrea al Quirinale. 1658–70 von Bernini. – 3 Paris, St. Louis des Invalides. 1677–90 von J. Hardouin-Mansart. – 4 Deutsch-Gabel (Nemecke Jablony). 1699 bis 1711 von J. L. von Hildebrandt. – 5 Kirchenentwurf von Guarino Guarini. Vor 1683. –

6 Salzburg, Kollegienkirche. 1696–1709 von J. B. Fischer von Erlach. – 7 Banz. 1710–13 von J. Dientzenhofer. – 8 München, Berg am Laim. 1738–42 von J. M. Fischer.

15

9–12 ROM, ST. PETER. Die große Tambourkuppel (9, rechts die kuppelförmige Außenlaterne über der Cappella Clementina von G. della Porta), von Michelangelo 1552 begonnen, erst 1588–93 gewölbt und vollendet, krönt den Zentralbau der Renaissance über dem Petrusgrab und bildet mit ihrer über den Halbkreis hinaus geteilten Silhouette einen Hauptakzent des römischen Stadtbildes. Der Barock richtet diesen hochragenden Kuppelbau zur Stadt hin aus und öffnete ihn zur Welt. Das geschah durch C. Madernos Langhaus und Vorhalle, 1608–12, und durch Berninis Petersplatz, 1657–70 (10, 11). Die zweistöckige, von Kolossalsäulen geprägte, zwischen seitlichen, 1612 begonnenen, nie vollendeten Glockentürmen gebreitete Schaufront mit der Segensloggia des Papstes inmitten des Oberstocks (10) bildet das Blickfeld für Berninis dreischiffige, von der Kirche abgerückte, mit Statuen der Heiligen und Märtyrer bekrönte Kolonnaden (11), die einen 190 m breiten, querovalen Platz umringen, der als ein selbständiges Bindeglied zwischen Kirche und Stadt sakrale und urbanistische Funktionen übernimmt und darstellt. Rechts der Kirche legte Bernini 1663–66 die Scala Regia an der Kreuzung von Vorhalle, Platzkorridor und Palastzugang an (12). Ihre ionischen Säulen greifen die Idee der dorischen Platzkolonnaden auf, verpflanzen sie ins Innere und wenden sie ins Feierliche, indem jetzt nur der mittlere Weg dominiert und die Kolonnaden vor unseren Augen aufsteigen. Berninis Reitermonument für Kaiser Konstantin (12, rechts) wurde so aufgestellt, daß es auch aus der Vorhalle sichtbar ist, Richtung und Rang der Prunktreppe markiert und somit sinnfällig die historische Verknüpfung von Antike und Christentum, von Rom und Kirche in barocker Form zum Ausdruck bringt.

13 ROM, S. ANDREA DELLA VALLE. Mutterkirche des Theatinerordens. 1591 begonnen, 1608–23 von C. Maderno erbaut, folgt dem Schema des Gesù Vignolas: tonnengewölbter, von Kapellen begleiteter Saal mit Lichtgaden als Langhaus plus Querhaus und Chor mit hochragender Tambourkuppel über der Vierung. Neu aber und barock ist außen Form und Zusammenspiel von Kuppel und Fassade, wobei anstelle strenger, frontaler Verspannung der Formen des 16. Jh. eine weiche, reiche, in den Gelenken gelockerte Gliederfülle tritt, für die Vereinfachung im großen bei klarer Dominanz weniger, sprechender Motive und Vielfalt und Beweglichkeit im kleinen bei feinster, lichtempfindlicher Abstufung kennzeichnend ist.

14–21 RÖMISCHE KIRCHENFRONTEN DES BAROCKS. Sie illustrieren am besten Prinzip und Spielarten des neuen Architekturstils. 14 S. SUSANNA. 1603 vollendet, von C. Maderno. – 15 S. ANDREA AL QUIRINALE. 1658–70 von G. L. Bernini. – 16 SS. VINCENZO ED ANASTASIO, 1650 von M. Longhi d. Ä. – 17 S. MARIA IN CAMPITELLI, 1663–67 von C. Rainaldi. – 18 S. CARLINO ALLE QUATTRO FONTANE. 1665–67 von F. Borromini. – 19 S. AGNESE IN PIAZZA NAVONA. 1633 begonnen von G. und C. Rainaldi, die wichtigen Züge 1653–57 von Borromini. – 20 S. MARIA DELLA PACE. 1656/57 als Schaufront vor der Frührenaissancekirche erbaut von P. da Cortona. – 21 SS. MARTINA E LUCA. 1635 von P. da Cortona entworfen. – Bei den Abb. 14, 16, 17 und 21 liegt das zweigeschossige, seit 1540 in Rom heimische Kompositionsschema mit betonter Mitte zugrunde; Hauptsache ist die neue Anwendung der „Säulenordnungen", nämlich Reihung, Gruppierung oder Staffelung von Säulen bzw. Pilaster in Traveen. – Die Abb. 15, 19 und 20 bilden Schaufronten mittels einer dreigliedrigen Motivgruppe. Wichtig ist das Wechselspiel von Zylinder und Prisma, von flach, konkav und konvex, wobei das Abwägen der Größenverhältnisse und das Variieren von Leitmotiven ausschlaggebend sind. Abb. 15 zeigt die größte Spannweite von groß und klein, vollkommene Klarheit des Themas (Heilige Pforte), schönste Verbindung von Platz- und Portalgestaltung. Abb. 20 besitzt den größten ornamentalen und malerischen Reichtum, die komplizierteste Gliederung, den schärfsten Kontrast zwischen „Tempietto" und Frontbildung, aber auch die geringste Bewegungsfähigkeit, wirkt am meisten als Architekturtheater auf dem kleinen Platz. Bei Abb. 19 war die Auseinanderspannung der Türme eine örtliche Bedingung zugunsten des langen, schmalen Platzes, glänzend bewältigt durch die Attikazone als Bindeglied aller Teile, durch die vornehmen Proportionen und die Entwicklung der Leitmotive aus 9 ▷

16

△ 14 ▽ 16 △ 15 ▽ 17

△ 18

△ 19

▽ 20

▽ 21

△ 22

▽ 23

▽ 24

△ 25

▽ 26

▽ 27

Kuppel und Portal in den Türmen. Abb. 18 liefert den Beweis für die oft verkannte Tatsache, daß Borromini, der Michelangelo verehrte, keineswegs gegen die Regeln der antikischen Säulenordnung verstößt. Vielmehr besteht seine Meisterschaft gerade darin, sie streng zu beachten und trotzdem ganz neue, dynamische Wirkungen zu erzielen: Die konkav-konvex-konkav geführte Kurve, die das große Gebälk so sinnfällig macht, entsteht nicht durch Biegung von Mauer, sondern durch die Anordnung und Erscheinung der großen und kleinen Säulen und ihre Staffelung. Athletische, bewegungsfähige Erscheinung – das ist hier anschaulich gemacht.

22–24 ROM, S. IVO DELLA SAPIENZA. Kirche der päpstlichen Universität. 1642–50 von F. Borromini. Blick ins Gewölbe (22), auf die Altarkonche (23) und Querschnitt mit Blick auf das Portal nach dem Opus Arch. (24); Grundriß (1).

25–27 TURIN, CAPPELLA DEL S. SINDONI, Reliquienkapelle am Dom. 1657 über Kreisgrundriß angefangen, 1667–94 nach Plänen G. Guarinis erbaut. Blick ins Gewölbe (25), Querschnitt aus der „Architettura Civile" von 1737 (26), Außenansicht von Tambour und Kuppel (27). – Beide Kirchenbauten (Abb. 22–24 bzw. 25–27) sind hervorragende Beispiele für die hochbarock-römische (S. Ivo) und die spätbarock-oberitalienische Gestaltung des Zentralraums: Borromini folgte dem antik-römischen Typus der Rotunde (Pantheon, Minerva-Medica), d. h. die Wände gehen über dem Gebälk der großen, kannelierten Pilasterordnung nahtlos in die Gewölbekappen über. Der Grundriß aber ist nicht rund, sondern bildet einen sechsstrahligen Stern mit konvex oder konkav schließenden Konchen anstelle der Sternspitzen und fügt die sechs hohen Nischen (Konchen) alternierend aus zwei verschiedenen Elementen zusammen, aus Zylinder und Prisma – eine völlig untheatralische Architektur von machtvoller Ruhe und luzider Bestimmtheit. Guarini dagegen verengte den Raum durch die dreimal übergreifende Bogenzone mit den Pendentifs und baute darüber das Flechtwerk der kurzen Segmentbögen in der Kuppel, erzielte mit diesem „islamischen" Motiv einen großen ornamentalen Reichtum, der dem Raum etwa Höhlenhaftes gibt, besonders wegen der theatermäßigen Beleuchtung und den starken Helldunkelwirkungen. Bei ihm sehen wir Verketten, Übergreifen und Durchflechten, bei Borromini Fügen, Artikulieren, Klären.

28 TURIN, PALAZZO CARIGNANO, Treppenhausrisalit im Hof. 1679–85 von G. Guarini. Trotz eines Baugedankens Berninis (1. Louvre-Entwurf 1664) ganz unrömische Gesamtwirkung wegen der Musterung der Ziegelfronten, so daß die plastischen Regungen zugunsten der Massenwirkung und des Helldunkelreliefs zurücktreten.

29 GENUA, HOF DER UNIVERSITÄT. Blick gegen die hintere Treppe. 1634–36 von B. Bianco. Der Hof mit dem im Frühbarock schon beliebten Motiv der Doppelsäule unter Bögen liegt höher als das ihm vorgeschaltete Vestibül und tiefer als die Altane dahinter. Treppen vermitteln jeweils, so daß sich eine dreigliedrige Sequenz in einer Richtung mit optimaler Durchsichtigkeit und Steigerung ergibt.

tigen Tambour, der im Fernbild geradezu durchsichtig erscheint, Wirklichkeit geworden, und zwar nach dem Willen Michelangelos, auch wenn die Vollendung durch Giacomo della Porta und Domenico Fontana, die erst nach dem Tode des Divino erfolgte, Veränderungen im einzelnen mit sich brachte. *Michelangelo* also war es, der mit dieser Kuppel, welche St. Peter in der Vertikalen vollendete, den Weg aus der Krise der Renaissance freigesprengt und prinzipiell die Möglichkeit einer Barockarchitektur geschaffen hat.

Die Faszination der Peterskuppel für den Barock lag zunächst in dem Eindruck von Bewegungsfähigkeit, den die kolossale Architektur hervorruft, die nur aus zwei Elementen besteht, die sich im fortwährenden Form-, Charakter- und Richtungskontrast darstellen. Im Tambour, dessen Bau Michelangelo noch selbst begann, werden beide nebeneinander gezeigt, nämlich in Gestalt der Säulenpaare, welche die radialen Strebepfeiler maskieren, und der rechtwinkeligen Fensterkassetten mit Giebel, die sich in den Intervallen auseinanderspannen. In der Attika verklammern sich beide, an der Außenwölbung tritt das erste Element als Rippe stark hervor, in der Laterne kehrt das Säulenpaar wieder, jetzt eng gereiht, so daß die Intervalle dem Auge nur als dunkle Spalten erscheinen, bevor der konvex und konkav modellierte Helm das Bauwerk abschließt. Solche Kontraste, die im Manierismus geradezu eine Mode des Komponierens geworden waren, besagen für sich allein nur wenig. Sie rufen bei der Peterskuppel nur deshalb den Eindruck von Bewegungsfähigkeit hervor, weil sie einem großartig-einfachen und optisch-beruhigten Gesamtbild untergeordnet sind, das sie hervorbringen. Das war das Neue, Einzigartige, für den Barock wohl schlechthin Vorbildliche. Die Kuppel, die sowohl aus der Nähe wie aus der Ferne sich stets als ein Ganzes darstellt, erweckt trotz der riesigen materiellen Ausmaße die Illusion aufstrebender, ja schwebender Belebung. In diesem Zug, der auch heute noch für jeden künstlerisch Empfindenden etwas Wunderbares hat, muß der neue Stil sich selbst erkannt, das Prinzip entdeckt haben, das er unbewußt suchte und das jetzt, mit solch überwältigender Klarheit vor Augen gestellt, die Zunge löste: Die Barockarchitektur gestaltet mit einzelnen Elementen, die sie als Form-, Charakter- und Richtungsdifferenz wirken läßt und gruppiert, unterwirft sie aber einem übergreifenden „Thema", dessen Vergegenwärtigung ihr Ziel ist. Ein solches Thema wird jedoch – das lehrte eben erstmals die Peterskuppel – von uns nur dann aufgefaßt, wenn die Illusion von Belebung zustande kommt und das Bauwerk nicht nur als kompositionelle Einheit, die der Verstand nachrechnet, sondern als bildhafte Ganzheit, die unsere Anschauung sofort begreift, gestaltet ist. Die Belebung, die für den Barock immer Kraftausdruck, also dynamisch ist, wird durch die angedeutete elementare Kontrastierung erzielt. Daß diese aber zugunsten eines höheren Ganzen aufgeht, sich nicht als Selbstzweck präsentiert oder unruhig wirkt wie die manieristische Kontrastkomposition des 16. Jahrhunderts, hängt daran, daß die Elemente nicht bloß wiederholt (komponiert, zusammengesetzt), sondern nach ihrem jeweiligen Wert für die Darstellung des Themas abgewandelt werden. Nur so kommt es zum Eindruck der Bewegungsfähigkeit dieser Architektur, die ruht, der wir aber das Vermögen zutrauen, sich zu bewegen. Dies ist das physiognomische Stilmerkmal; das darzustellende Thema, der „concetto", wie Bernini sagt, indem er ein Fachwort der manieristischen Poetik für einen ganz unmanieristischen Zweck gebrauchte, regiert die Verwandlung der Form-, Charakter- und Richtungsdifferenzen, wobei das Zusammenspiel von großen und kleinen Motiven und ihre Abstufung eine wichtige Rolle spielen, und zwar im Sinne einer relativen, nicht einer absoluten Proportionierung („optischer Maßstab"). Das Ergebnis ist eine reiche Belebung im einzelnen bei großen, sich entwickelnden Grundzügen in einer Architektur, die jetzt Bauwerk und Bildwerk in einem ist und selbstverständlich alle bisherigen „antiken" und „modernen" Möglichkeiten zugunsten des neuen künstlerischen Zieles ausbeutet. Die Rede also von Michelangelo als „Vater des Barocks" ist verständlich und historisch auch richtig; allerdings darf man nicht, um in dem gewählten Bilde zu bleiben, den Vater mit den Kindern verwechseln. Denn der Barock ist kein Michelangelo-Nachahmer, wie viele Manieristen es waren. Er setzte die Achse, die ihn mit Michelangelo in Gestalt der Peterskuppel verband, nicht fort, sondern drehte sich um sie und nutzte sie als Pol für die Entfaltung seiner eigenen Welt. In diesem Sinne ist die barocke Baugeschichte von St. Peter seit 1605-08 zu verstehen und ihr barockes Ergebnis, der *Petersplatz* (Abb. 10, 11): Breitung ist mit Rundung vereinigt; die Freisäule, das schlechthin unabhängige, plastische Element der klassischen Architektur, schon an der Kirchenfront *Madernos* von der starren Mauermasse losgelöst, tritt in der strengen Form der Kolonnade auf, bildet aber, vom Statuenheer bekrönt, in vierfacher konzentrischer Reihung eine durchgehende, jedoch lockere Wandung mit deutlichen, pfeilerförmigen, aufs Ganze bezogenen Gelenken am Beginn, Schluß und in der Mitte jeder Ringhalle. Der abstrakte ovale Grundriß, bestimmt nach einer schon von Serlio überlieferten Konstruktion aus zwei Kreisen, gewinnt wegen der Öffnung zur Basilika, von der er durch den trapezförmigen Vorplatz fast hundert Meter abgerückt ist, die zwanglose thematische Erscheinung von ausgreifenden Armen. Die genau für den Anblick kalkulierten Proportionen der kolossalen Architektur kommen mit unseren stets wechselnden Augen- und Bewegungserlebnissen deshalb nicht in störenden, desillusionierenden Konflikt, weil sie an jeder Stelle auf Nah- und Fernsicht abgestellt sind, so daß Körpergefühl und Augeneindruck in Balance bleiben. Die Kirche wird nicht nur als majestätischer Prospekt gezeigt und gerahmt, sondern wirkt auch als Ganzes in den Platz mit hineingenommen, denn die Kolonnaden präludieren als Binnenraum, was Michelangelos Kuppel, die vom Platz aus nur wenig sichtbar ist, im Innern umschließt und überwölbt. – So war hundert Jahre nach Michelangelos Tod aus der 1506 begonnenen Peterskirche etwas anderes, Neues geworden, nicht durch Ersatz des Gründungsbaus, sondern durch seine Interpretation als ökumenisches und urbanes Monument. Anstelle absoluter, allein in sich gegründeter und zum Himmel strebender Kolossalität, die Michelangelos Petersdom auszeichnet, gibt sich *Berninis* Architektur bei aller eindrucksvollen athletischen Mächtigkeit und Größe doch festlich, heiter, gelöst: „Der schwere Ernst scheint sich zu heben, die Formen atmen freudiger" (H. Wölfflin). Das ist der Geist des barocken Roms.

Das Verhältnis des Bauwerks zu seiner Umgebung, zu Straße und Platz, Tal- oder Hanglage, wandelte sich dementsprechend. Selbst im erzkonservativen *Palastbau Roms* trat anstelle abweisender, ungeschmückter Isolation, die der Palazzo Farnese (vgl. Bd. XII, Abb. 41) so nachdrücklich verkörpert, seit 1600 Öffnung nach außen, Anpassung an die individuelle Situation (Pal. Borghese, seit 1605), Freude am Wechsel der Aspekte, an der bühnenmäßigen Inszenierung von Schauseiten als lockere Dreiergruppe mit Vorhof und mittlerer Loggia (Pal. Barberini, seit 1625 von *Maderno, Borromini* und *Bernini*, vgl. Bd. XII, Abb. 97), oft in Verbindung mit einer Kirchenfassade und mit Figurenbrunnen (Pal. Pamphili in Piazza Navona, seit 1646 von *G.* und *C. Rainaldi* und *Borromini*, Fontana Trevi, seit 1732 von *N. Salvi*). Stärker als je zuvor bringen sich Motive der Villenarchitektur im Stadtbild zur Geltung (Belvedere des Pal. Falconieri von *Borromini*), und umgekehrt geschieht es, daß sich kleine Villegiaturen zu schloßähnlichen Bautenkomplexen auswachsen (Pal. del Quirinale). Erst jetzt wird die Pilastergliederung an der römischen Palastfassade üblich, die hier – von frühen Ausnahmen (Bramante!) abgesehen – im 16. Jahrhundert fehlte, während sie in Oberitalien gang und gäbe war (Pal. Chigi-Odescalchi, 1664 von *Bernini*, Collegio di Propaganda Fide, seit 1662 von *Borromini* – Bd. XII, Abb. 99, Pal. della Consultá, 1732–37 von *F. Fuga* – Bd. XII, Abb. 109). Von der römischen Tradition her gesehen bedeutete all dies das Einströmen heterogener Elemente von außen, Vermischung der Typen (Villa, Villa suburbana, Stadthaus, Feudalschloß), Angleichung von Sakral- und Profanbau. Urbanistisch dokumentiert sich damit die *Eingemeindung des Palastes im Stadtbild.*

Im *Kirchenbau* vollzog sich dieser Umschwung noch rascher, deutlicher. Daß es unter dem Einfluß der Barockisierung von St. Peter geschah, beweist die Geschichte der *Vierungskuppel*, des *Kirchenplatzes* und der *Kirchenfassade* in *Rom*. Bis zum Barock waren die

30 SUPERGA BEI TURIN. 1707 von Herzog Vittorio Amadeo als Siegesdenkmal gestiftet, 1717–31 von F. Juvara unter Nutzung der landschaftlichen Situation erbaut.

31 WIEN, KARLSKIRCHE. 1713 anläßlich der Pest von Kaiser Karl VI. gestiftet, 1716–25 nach Plan von J. B. Fischer von Erlach erbaut, 1737 als Denkmal des Kaisertums geweiht. Die Schauseite gruppiert antike (Tempelfront, Kaisersäulen) und moderne Baugedanken (römische Peterskuppel) als Ausdruck des Kaisertums, das als umfassend, die Gegensätze aufhebend, gedacht wird.

32–34 BAROCKE ARCHITEKTURPHANTASIEN. Der italienische Palastbau war ein Thema der Stadtbaukunst. Mit der Villa und dem Landschloß entstanden im 16. Jh. neue Aufgaben einer „Landbaukunst". Im Spätbarock wurden sie miteinander verknüpft und Gegenstand einer weitausgreifenden Phantasie, die – freilich oft nur auf dem Papier – die Landschaft selbst baulich gestaltete: JAGDSCHLOSS STUPINIGI BEI TURIN. 1729 begonnen, die Verlängerungsbauten des vierflügeligen Kernbaus auf dem Grundriß eines Diagonalkreuzes erst um 1750 (32). – CHÂTEAU TRIANGULAIRE, Schauentwurf von F. Juvara. 1705 (33). – KASSEL-WILHELMSHÖHE, Entwurf G. F. Guernieros für die Umgestaltung des „Karlsberges", 1701–17 durch Oktogon mit Herkulespyramide und Kaskade, nach dem Stich von A. Specchi 1706 (34): „Der Barock fügt sich nicht dem Terrain, sondern unterwirft es sich" (H. Wölfflin).

35–37 JOHANN BERNHARD FISCHER VON ERLACH, PALAIS TRAUTSON IN WIEN. 1709–11, Straßenfront (35). – Sog. BELVEDERE IM LIECHTENSTEINGARTEN IN WIEN/ROSSAU. 1689 entworfen, im 19. Jh. abgebrochen, nach einem autorisierten Stich (36). – ENTWURF FÜR EIN „GARTEN-

GEBÄU", also für ein dreigliedriges Lustschloß. Zeichnung. Um 1690. Agram, Universitätsbibliothek. (37)

38–41 JOH. LUKAS VON HILDEBRANDT, BELVEDERE des Prinzen Eugen in Wien, Oberes Schloß. 1721 bis 23. GARTENFRONT mit der ersten Kaskade und dem davor tiefer liegenden Parterre (38). – HOFFRONT mit der mittleren Wagenauffahrt und dem großen Bassin davor (39). – PALAIS DAUNKINSKY IN WIEN. 1713–16 erbaut (40). – POMMERSFELDEN, Schönbornschloß Weißenstein. 1711–16 von J. Dientzenhofer erbaut. Treppenhaus von J. L. von Hildebrandt als dreigeschossiger, gedeckter Arkadenhof angelegt (41), in den die zweiarmige Treppe so hineingestellt ist, daß sie eine Brücke bildet für den Durchgang zum Gartensaal und eine Altane vor dem Eingang zum Festsaal im ersten Geschoß, wo eine kleine hypäthrale Kuppel als Würdeform eingefügt wurde, vielleicht eine Idee des Bauherrn, Fürstbischof Lothar Franz von Schönborn.

42 DRESDEN, ZWINGER. Entstanden 1709–22 im Zusammenhang mit den Schloß- und Stadtbauplänen Augusts des Starken (seit 1697 auch König von Polen). Er ist zugleich Festplatz mit einem vertieften Mittelfeld von 106 × 107 m mit zwei angesetzten Halbkreisen, also den antiken Zirken nachgebildet, und festliche Architektur, wobei zweigeschossige Bauten und Pavillons durch Korridore zusammengefaßt werden. Der abgebildete Wallpavillon, 1716–18 von M. D. Pöppelmann erbaut, von B. Permoser mit Skulpturen geschmückt (nach dem Zweiten Weltkrieg rekonstruiert), ist exemplarisch für die Vereinigung von Bild- und Bauwerk im deutschen Barock und für die Bedeutung der Plastik für diese Baukunst.

△ 32 35 ▷

△ 33 ▽ 34

△ 36

▽ 37

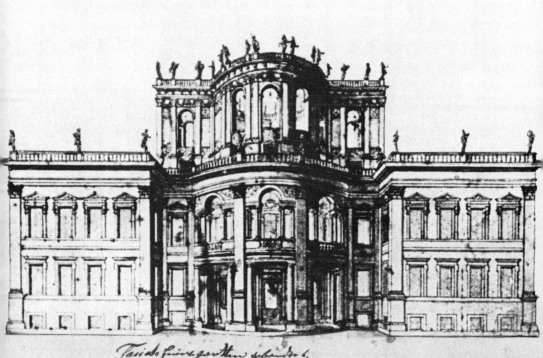

Facciade fuorigartten gebäude b.

△ 38

▽ 39

römischen Vierungskuppeln unansehnlich, sie verbargen sich entweder unter Zeltdächern oder zeigten ihre Außenwölbungen auf niedrigem, ungegliedertem, oktogonalem Tambour (Gesù, S. Maria dei Monti von *G. della Porta*). Im 17. und 18. Jahrhundert erst traten sie als hochragende, auch im durchfensterten Tambour fassadenmäßig durchgegliederte Zentralbauten über den Dächern der Stadt auf (S. Carlo ai Catinari, nach 1612 von *C. Rosati*). Das erste bedeutende Beispiel dieser Art, die *Kuppel von S. Andrea della Valle* mit einer inneren Spannweite von 16,50 m (Abb. 13), deren Bau *Maderno* 1622 vollendete, übernimmt von Michelangelos Peterskuppel nicht nur das Schema der Gliederung, sondern auch die Hervorhebung der *Tambourarchitektur* (vgl. Abb. 9), was von nun ab ein durchgehender Zug der Barockkuppeln Roms und bald auch Europas (Abb. 30, 31) wurde und das Zusammenspiel von Kuppel- und Fassadenarchitektur erleichterte (erstmals bei S. Andrea della Valle, Abb. 13, verbunden mit dem Turmpaar – einem seltenen römischen Motiv – bei S. Agnese, Abb. 19). Dieses Zusammenspiel betrifft schon diejenige Bauaufgabe in Rom, die durch St. Peter in den Rang der Weltarchitektur gehoben wurde, den *Kirchenplatz*. Für ihn gab es kein Schema. Eine Fülle von individuellen Lösungen wurde hervorgebracht. Nicht der Grundriß, sondern der Aufbau, der Zusammenhang entschied, es wurde der Eindruck von Symmetrie faktisch unregelmäßigen Situationen abgezwungen (Zwillingskirchen der Piazza del Popolo, 1662–79). Oft macht die Erscheinung eines Barockbaus einen römischen Winkel bedeutend, so z. B. bei S. Eustacchio die Rotunde von S. Ivo oder Borrominis Turm von S. Andrea della Fratte, der, an den Rand gestellt, auch heute noch mitten im Autogewühl zum Aufblick zwingt. Überhaupt ist die Lage an der Kreuzung, „a canto", die einhüftige Betonung, das freie Gleichgewicht der Gruppierung von Verschiedenartigem beliebt (S. Susanna, Abb. 14, S. Maria della Vittoria, die Aqua Felice, S. Bernardo z. B.). Nicht Großräumigkeit gibt den Ausschlag. Oft bezaubern kleine und kleinste Kirchenplätze, deren architektonische Gestaltung die faktischen Maße vergessen läßt, weil der Barock es versteht, durch Gruppierung und Gliederung selbst auf engstem Raum den Eindruck von groß und klein, nah und fern hervorzurufen (S. Maria della Pace, Abb. 20, S. Andrea al Quirinale, Abb. 15, Piazza S. Ignazio, 1727–29 von *F. Raguzzini*).

Die *Kirchenfassade* war diejenige Aufgabe, die städtebaulich am wirksamsten ist und die allgemeinen Stilfragen ebenso wie deren persönliche Gestaltung besonders faßlich und in Meisterwerken zum Ausdruck brachte (Abb. 10, 11, 13–21). Vorausgesetzt waren die Leistungen des Cinquecento (= 16. Jh.), das erstmals in der europäischen Architekturgeschichte der neueren Zeit diese Aufgabe einer typischen und künstlerisch bedeutenden Lösung zugeführt hatte. Die Ausbildung des zweigeschossigen Typus, einer Hausteinarchitektur aus Travertin (S. Spirito in Sassia, 1540 von dem jüngeren A. da Sangallo – Bd. XII, Abb. 93), bis zu Giacomo della Porta (Gesù, 1575 dat., 1584 vollendet, S. Maria dei Monti, um 1580) hat H. Wölfflin 1888 dargestellt und stilkritisch gedeutet: Aus der einfachen Reihung und Schichtung entwickelt sich die kompositionelle Einheit als ein unzerlegbares, in der Horizontalen verspanntes, vielfach geschichtetes, verblocktes Relief mit entschiedener Subordination der Seiten unter die Mitte, von massigem, breitem Umriß, voll pathetischen Bewegungsdranges. Die große Gliederung der Traveen erfolgt durch Pilaster, Pilaster-

◁ 42 bündel oder Doppelpilaster (Gesù); Säulen bleiben dem Portal bzw. dem oberen Mittelfenster vorbehalten. Die Mitte ist risalitförmig hervorgehoben, ohne sich aus dem kompakten Mauerverband zu lösen. Die Traveen sind miteinander verkettet, überschneiden sich, sind fragmentiert, mit der einzigen Ausnahme der Mitte, wo auch an der Gesùfassade die vollständige, auf beiden Seiten von Doppelpilastern begrenzte Travee erscheint.

Diese Form, die zugleich ein Stilparadigma ist, verwandelte bereits der Frühbarock (1590–1625) grundsätzlich, ohne zunächst vom zweigeschossigen Schema des 16. Jahrhunderts abzuweichen. Den entscheidenden Schritt tat *Carlo Maderno* (1556–1629), der einzige überragende Baumeister dieser Zeit nach dem Tode von Giacomo della Porta, dem er 1603 auch im Amt des Architekten von St. Peter nachfolgte. Maderno, ein bedächtiger, sachkundiger Mann mit einer guten Kenntnis sowohl der heimischen, oberitalienischen wie auch der römischen Überlieferung, dessen baumeisterliche Qualitäten Palastbauten (Mattei di Giove, Barberini), Villenanlagen (Frascati, Villa Aldobrandini, Gartenrisalit) und vor allem *S. Andrea della Valle* (Abb. 13) eindrucksvoll unter Beweis stellen, verdankt seine stilbildende Leistung wohl hauptsächlich der Aufgabe, die ihm mit dem Bau der Vorhalle und des Langhauses von St. Peter gestellt war und die – unter außerordentlichen und schwierigen Bedingungen – auch die Gestaltung der Petersfassade mit einschloß. Die Lösung, die Maderno mit seinem Entwurf 1607 traf (Abb. 10, 11) und die er sicher lange vorher durch ein Studium von Michelangelos Außenarchitektur und von den Möglichkeiten einer Verbindung von Massen- und Säulenbau vorbereitete, ist viel kritisiert worden, enthält aber prinzipiell schon jene Motive, die den Stilwandel zum Barock bestimmen und in der *Kirchenfassade von S. Susanna* (Abb. 14) völlig klar zur Anschauung kommen: Die Säule tritt, durch flache Nischen von der Mauermasse gelöst, als maßgebliches Element auf, nicht aber ausschließlich, sondern im Wechsel mit Pilastern und Pfeilern, die horizontalen Verspannungen und Verklammerungen sind verschwunden, „der Bann der Horizontalen ist gebrochen" (H. Wölfflin). Die Traveen sind nicht mehr fragmentiert, sondern – mit Ausnahme der äußeren Flanken – vollständig gebildet und nebeneinandergestellt. Die Mauerabschnitte aber, denen sie zugeordnet sind, kragen progressiv zur Mitte vor, wo sie – oben – auch an ihren Flanken mit Pilastern versehen sind (Michelangelos Ricetto der Laurenziana in Florenz!). Und weil eben die Traveen nicht mehr miteinander verkettet, die Säulen vom Mauerverband optisch abgehoben sind, wirkt diese Vortreppung als ein völlig überzeugendes Thema, das die Architektur als Ganzes erfaßt hat und das mit der Illusion von Bewegungsfähigkeit verbunden ist. Die Fassade, die zwischen zwei niedrige, einfache Trabantenbauten gespannt ist (auf Abb. 14 nicht mehr sichtbar), wirkt aufgerichtet, von athletischer Erscheinung, aber in den Gelenken gelockert, in den Intervallen geschmückt und selbst nach der Vorstellung strenger Vitruvianer wohlgeordnet, richtig, klar – ein „Werk von prächtigem Kraftgefühl und doch maßvoll" (H. Wölfflin), die erste barocke Kirchenfassade Roms.

Verglichen mit della Portas Gesùfront ist S. Susanna (und alle folgenden Fassaden des Barocks) weicher, beweglicher, im Gesamtbild einfacher, leichter faßlich, im Gefüge aber komplexer, kontrastierender. *Maderno* hat die unzerlegbare Kompositionseinheit des Cinquecento aufgebrochen, hat aus den Teilen selbständige Elemente geformt und sie in den Dienst des Themas der Vorrückung und der Aufrichtung gestellt. „Getrennt marschieren, vereint schlagen" heißt sein Motto, während das *della Portas* heißen könnte: „Alles oder nichts." Dieser erreichte damit die völlig vereinheitlichte, unbewegliche, strikt frontalisierte Relieffront, in der sich die gegensätzlichen Elemente drangvoll aufstauen; jener gruppierte die Elemente zugunsten des übergreifenden Concettos einer simulierten, zum Abschluß gekommenen Bewegung und erreichte damit jenen Eindruck von Pracht, Kraft und Maß, den Wölfflin rühmte und der kunstgeschichtlich die Versöhnung von Massenbau und kolumnarer Architektur von Michelangelo und Palladio umschließt und die Baukunst befähigte, figurale Wirkungen zu erzeugen.

Erst auf dieser Grundlage ist der Reichtum, die Fülle von phantasievollen Gestaltungen der *römischen Kirchenfassade des Hochbarocks* (1625–80) richtig zu beurteilen und der damit bekundete Personalstil der bedeutenden Architekten zu würdigen (Abb. 15–21). Ein einfaches Thema wählte z. B. *Martino Longhi der Jüngere* für die nach 1646 im Auftrag des Kardinals Mazarin errichtete Fassade von *SS. Vincenzo ed Anastasio* (Abb. 16): Alle Kraft ist auf die Mitte geworfen, wo drei vollständige Traveen trichterförmig vorgestaffelt sind und sich so im Kontrast zu den Flanken der Eindruck von Säulentriaden bildet. Säule und Mauer bleiben hier getrennt, diese ist der Hintergrund für jene, zugrunde liegt eine hellenistische, im Theaterbau oft verwendete Form kolumnarer Architektur. Auch *Carlo Rainaldi* (1611–91) verwendete sie bei der viel bedeutenderen Kirchenfassade von *S. Maria in Campitelli* (Abb. 17): er gruppiert große, kleinere und kleinste vollständige Traveen dieser Art vor-, neben- und ineinander (Ädikula-Fassade). Die Architektur ist von großer Pracht, vielstimmig und reich, aber von geringer Geschmeidigkeit und härter als bei *Maderno*, erlaubt jedoch ein höheres Maß an perspektivischen Effekten – was auch der Innenraum dieser Kirche beweist – und bleibt dem bolognesischen Ideal des Säulenbaus enger verbunden. *Carlo Rainaldi*, der zuerst mit seinem Vater Gerolamo (gest. 1655) zusammenarbeitete (Pal. Pamphili, S. Agnese), von der Bauhütte von St. Peter, der hohen Schule der Architekten, ausgeschlossen blieb, behält in der Tat immer etwas von einem Theaterarchitekten. Seine Hauptwerke: die Zwillingskirchen der Piazza del Popolo, die Chorfassade von S. Maria Maggiore (ein Spätwerk von 1673), vorzügliche Festdekorationen, Entwürfe für den Petersplatz und für den Louvre (1664), die beide unausgeführt blieben,

43–45 PFEILER- und SCHALENBAUWEISE IM 18. JH. Der Außenbau der ehem. Benediktinerklosterkirche ST. MARGARETHE IN PRAG-BŘEVNOV (43), 1708–15 von Chr. Dientzenhofer, zeigt exemplarisch die Verbindung der beiden Bauweisen in der besonderen Prägung des böhmischen Barocks, der gern mächtige, plastisch geformte Giebelfragmente der Architektur aufbürdet und suggestive Wirkungen durch Verengung und Ausweitung schafft. Den grundsätzlichen Unterschied von Pfeiler- und Schalenbauweise illustrieren gut die Innenansichten der Benediktinerstiftskirche WEINGARTEN (44), 1715–24, ein spätes Meisterwerk der sog. Vorarlberger Bauschule, und der ehem. Jesuitenkirche ST.

NIKLAS IN PRAG-KLEINSEITE, 1704–11, ein Hauptwerk des böhmischen Barocks, das aber seine Innenausstattung erst später erhielt (45). In Weingarten Wechsel von lichtgefüllten Abseiten mit kräftig geschichteten Pfeilern als Kopfstücke der schräggestellten „Wandpfeiler", Verwachsung von quergestellten Kapellengewölben mit längsgerichteten Langhausgewölben. In Prag Dominanz der Wölbungen nicht nur an den Decken, sondern auch an den Wänden, die sich in den pilasterbesetzten „Nasen" vor-, in den zweigeschossigen Arkaden der Abseiten zurückschwingen. Das Licht „dringt ein" im Unterschied zu Weingarten: dort „baut es auf".

46–50 HOCHZEIT SYNTHETISCHER GLIEDERUNGS-
KUNST IM KIRCHENRAUM. Wallfahrtskirche
VIERZEHNHEILIGEN im Maintal bei Staffelstein.
1743–72 nach Plänen von B. Neumann vollendet von J. M. Küchel, der auch den Gnadenaltar schuf (50). Der kreuzförmige, gradlinige,
vielfenstrige Außenbau mit der ragenden Zwei-
turmfront (46) birgt einen aus fünf ovalen
Hauptgliedern gebildeten, im mittleren Oval
mit dem Gnadenaltar frei vom Raumgrund
abhebenden hohen und weiten Lichtraum, 64 m
lang, 23 m hoch. Im Unterschied zu draußen
sieht man keine toten Winkel, nichts Frontales,
sondern Kurven und Wölbungen. Trotzdem
wirkt alles Kreisen, Sich-Runden und der
Lichtsturm aufgehoben in einem feierlich-
ruhigen Stehen dieser Architektur. Schalen-
und Pfeilerbauweise, das Thema der Kuppelrotunde, der zweigeschossigen Emporenhalle
und der kreuzförmigen Basilika sind miteinander vereinigt, die Raumglieder (s. Grundriß,
47) besitzen optimale Vollständigkeit, die Gliederung wird deutlich, und doch gibt es nichts
Verwirrendes in diesem „Gesamtraum", der
zugleich Kongregationskirche (ein Raum),
Kreuzkirche (Hinweis auf das Gnadenbild des
Jesuskindes mit dem Kreuz) und Gnadenkirche
ist. Die Ausstattung mit Fresken von J. Ap-
piani und der Stuck von F. X. Feuchtmayer
erst nach dem Tode B. Neumanns, dessen Absicht deutlicher noch wäre, wenn die von ihm
geplanten stärkeren Krümmungen in den Ge-
wölben ausgeführt worden wären.

51, 52 MONUMENTALE DEKORATION IM FÜRSTEN-
SCHLOSS DES DEUTSCHEN BAROCKS nehmen vor
allem im Treppenhaus und im Festsaal, die
jetzt in der Mitte des Corps de Logis zusammengefaßt werden, zeremonielle und sakrale
Motive auf. TREPPENHAUS IM SCHLOSS AUGU-
STUSBURG, BRÜHL bei Bonn. 1741–48 von
B. Neumann in den Mantelmauern des Bauwerks von J. C. Schlaun eingerichtet, Fresken
von C. Carlone, 1750, im Blickfeld ein „Zim-
merdenkmal" für den Kurfürsten Clemens-
August, 1775 (51). – Den KAISERSAAL DER
RESIDENZ IN WÜRZBURG erbaute B. Neumann
als quergestelltes, gewölbtes Oktogon im Mit-
telpavillon der Gartenfront, bis 1741. Den
Höhepunkt der Ausstattung, wo weißer Stuck,
achatroter, gelblicher und grünlicher Stuck-

marmor, die Messingbasen und Goldkapitelle
der Säulen zusammenwirken, bilden die drei
Gewölbefresken von G. B. Tiepolo (sichtbar
das Bild mit der Bestätigung des Würzburger
Bischofs als Herzog der Franken durch Friedrich Barbarossa), 1168. (52)

53 WÜRZBURG, EHEM. FÜRSTBISCHÖFLICHE RESI-
DENZ, Ansicht der 170 × 90 m großen Gesamtanlage. 1720 von Johann Philipp Franz von
Schönborn, Fürstbischof, von 1719–24 begonnen, erbaut unter dessen Neffen, Friedrich Carl
von Schönborn, bis 1745. Bauleitung und entscheidende architektonische Gestaltung B. Neumann, der sowohl Wiener und Mainzer Anregungen als auch solche der Architekten R. de
Cotte und G. Boffrand aus Paris (1723) mitzu-
verarbeiten hatte. In der Tiefe des Ehrenhofes
zwischen den beiden Baublöcken (im rechten
die Schloßkirche) das Corps de Logis mit
Vestibül, Gartensaal, großem Treppenhaus und
im Piano Nobile Kaisersaal (52). Die beiden
seitlichen Baublöcke durch die ovalen Mittelpavillons ausgezeichnet, mit Binnenhöfen versehen und in der vornehm-klaren Außenglide-
rung unübertroffen im spätbarocken Schloßbau, unterscheiden sich merklich von der französischen Gewohnheit (vgl. Versailles, Abb.
66), trotz der Gesamtdisposition, die ohne
Frankreich undenkbar wäre.

54 MELK (DONAU), Benediktinerstift. Unter Abt
B. Dietmayr wurde 1702 mit dem Bau der
zweitürmigen, kuppelgekrönten Stiftskirche
(Turmhelme nach 1738 von J. Munggenast)
begonnen, ausgezeichnet durch das Kopfmotiv
der bogengeschmückten Altane zwischen Mar-
morsaal- und Bibliotheksbau (nach dem Tode
des ersten Baumeisters, J. Prandtauer, 1726),
unbestrittenes Meisterwerk der barocken Stifts-
baukunst des 18. Jh. In glücklicher Anpassung
an die lokalen Bedingungen und die Situation
des mittelalterlichen Kirchen- und Klosterbaus
wird hier die „Schubwirkung" der langen, einfach gegliederten Klosterfronten für den
Schlußakkord genutzt. Dabei ist gesorgt, daß
sowohl für die Ferne als auch für die Nähe, im
Anblick vom Tal wie auch im Ausblick von der
Kirche ein Höchstmaß an architektonischer
Herrschaft fühlbar bleibt: Die Bautengruppe
dominiert das Land, indem sie sich ihm anpaßt.

43 ▷

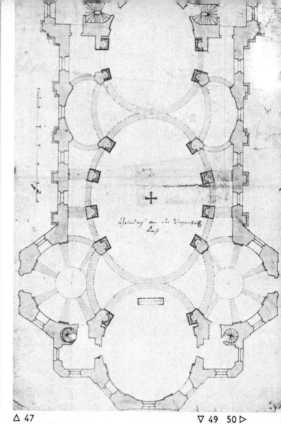

△ 46   ▽ 48   △ 47   ▽ 49   50 ▷

△ 53

▽ 54

erweisen es. Sein Gegenspieler im gewissen Sinne war *Pietro da Cortona* (1596–1669) als Architekt, der Begründer der hochbarocken Deckenmalerei in Rom und der Toskana. Seine frühen und weitreichenden Ambitionen stellte er vor 1630 mit der leider verschwundenen, aber gut dokumentierten Villa del Pigneto für die Sacchettifamilie unter Beweis und seit 1634 mit dem Kirchenbau von *SS. Martina e Luca* beim Septimius-Severus-Bogen (Abb. 21). Mit der Schauseite von *S. Maria della Pace* (Abb. 20) gelang ihm sein Meisterwerk. Hauptsache ist das gedrängte, kontrastreiche Relief, das den Gegensatz von Wölbung und pfeilerhafter Front zur Anschauung bringt und mit michelangelesken Motiven prunkt. Doch trotz der Fülle der Gegensätze ist die Gesamterscheinung ruhig. Ja man erkennt meistens ein einfaches, geradezu „klassizistisches" Grundschema als Raster für die gezeigte Vielfalt, was vielleicht die Wirkung dieser Architektur nördlich der Alpen, in Frankreich, erklären könnte. Dabei gaben wohl die prächtigen Innenraumdekorationen den Ausschlag (Rom, Pal. Pamphili, Galerie; Florenz, Pal. Pitti).

Giovanni Lorenzo Berninis (1598–1680) Karriere als Architekt begann mit dem Pontifikat Urbans VIII. Barberini (1624), als der junge, bereits erfolgreiche Maler und Bildhauer mit der Aufgabe betraut wurde, den Kuppelraum von St. Peter monumental auszugestalten. Im gleichen Jahr entwarf Bernini die bescheidene, aber stilgeschichtlich bemerkenswerte Vorhallenfront von S. Bibiana, kehrte jedoch wegen der großen Aufgabe in St. Peter erst im Chigipontifikat (1655–67) zur Architektur zurück. Jetzt entstanden die Hauptwerke, die alle Spätwerke Berninis sind: der Petersplatz (Abb. 10), die Kirchenbauten von Castelgandolfo, Ariccia und in Rom *S. Andrea al Quirinale* (Abb. 15), eine einfache querovale Rotunde, der die berühmte Gruppe von Portal, Flügelbauten und Giebelfassade als Platzgestaltung vorgesetzt ist. Wie zwanglos ist nun im Vergleich mit *Maderno* (Abb. 13, 14) das Wechselspiel der einzelnen Elemente zueinander und zum Ganzen geworden! Wie suggestiv die „Sprache" solcher Architektur, die ganz und gar nichts Theaterhaftes hat! Um wieviel größer die geistige Verwandtschaft mit Michelangelo, obwohl nun nichts mehr „wörtlich" an diesen erinnert und das Ganze nichts von Bedrängendem besitzt! Verglichen mit *Cortonas* Fassaden (Abb. 20, 21) wirkt hier z.B. das Thema des Tempelchens am Portal lapidar, wahrhaft, innig, nicht mehr als „Motiv", „Vokabel". Die Einfachheit, bis zu der *Bernini* hier vordringt, hat etwas Naturhaftes (nicht zu verwechseln mit Naturalistischem!), das an die Peterskolonnaden erinnert.

An solcher künstlerischen Höhe muß die bedeutendste Erscheinung der römischen Barockarchitektur gemessen werden, diejenige auch, die am meisten den ideologischen, ästhetischen und kunsthistorischen Mißverständnissen ausgesetzt war, Francesco Castelli, gen. *Borromini* (1599–1667). In der Bauhütte von St. Peter wuchs Borromini auf unter der Anleitung *Madernos*, der den jungen, hochbegabten Landsmann und vorzüglichen Zeichner bald zu bedeutenderen Aufgaben heranzog, ihn in die Geheimnisse des Peterskirchenbaus einweihte und ihm neben der Achtung vor der Antike die Liebe zu Michelangelo einpflanzte, die Borromini zeitlebens behalten hat. Nachdem die Zusammenarbeit mit *Bernini* für den Baldacchino und den Palazzo Barberini, die kürzlich H. Thelen aufgeklärt hat, 1633 zu dem unausweichlichen Zerwürfnis zwischen beiden geführt hatte, verließ *Borromini* die Bauhütte von St. Peter, begann 1634 den Bau von Kloster und Kirche von *S. Carlino*, deren Fassade jedoch erst seit 1662 entstanden ist (Abb. 18), den Ausbau des Oratoriums der Philippiner seit 1637 und den Kirchenbau von *S. Ivo della Sapienza* (Abb. 22–24). Im Pamphilipontifikat, als *Bernini* die einzige Krise seines sonst stetigen Ruhms hinnehmen mußte, erfuhr sein großer, ungeselliger Gegner erhebliche Förderung. Der Papst zog ihn 1652/53 beim Neubau von *S. Agnese* heran (Abb. 19), betraute ihn mit der Barockisierung der Lateransbasilika zum hl. Jahr 1650 und vermittelte ihm die Baumeisterstellung beim Collegio di Propaganda Fide und wohl auch den Auftrag für den Ausbau von S. Andrea delle Fratte, Aufgaben, die den Meister bis zu seinem Tode beschäftigten.

Mit *Borromini*, dessen künstlerische Persönlichkeit in diesem engen Rahmen auch andeutend nicht gezeichnet werden kann, gelangt die barocke Methode synthetischer Gestaltung aus gegensätzlichen Elementen zu einer neuen, persönlichen und zugleich im Hinblick auf die Gesamtgeschichte des Barocks revolutionierenden Fassung. Da es sich dabei nicht bloß um einen fassadenmäßigen Aspekt der Baukunst, sondern um deren umfassende Konzeption handelte, ist es ratsam, dies am *Kirchenraum* zu zeigen, an derjenigen Aufgabe also, die naturgemäß die umfassendste ist. In diesem Bereich liegt die kunstgeschichtliche Bedeutung des römischen Barocks nicht bei den Langhauskirchen, sondern beim kirchlichen *Zentralraum*. Schon der Zahl nach überwiegt er bei den Neubauten des 17. Jahrhunderts und hält sich fast durchweg in mäßigen, überschaubaren Ausmaßen, ist immer gewölbt und besitzt stets im Hauptraum einen Lichtgaden, was für die Lichtsituation nicht unwichtig ist. Zwei „Typen" des Aufbaus solcher Zentralräume als Kuppelkirchen waren überliefert: die Rotunde und die Kreuzkirche mit einer über der Vierung eingezogenen, d. h. mittels Bögen und Pendentifs aufsitzenden Kuppel (Kuppel mit „Wechselzone"). Dieser Typus war durch St. Peter, jener durch die Antike (Pantheon) geheiligt, beide wurden von den erwähnten Baumeistern des 17. Jahrhunderts gepflegt, wobei für die Rotunde nicht nur der kreisförmige, sondern öfter der ovale Grundriß gewählt und dem Hauptraum Abseiten zugeordnet wurden. *S. Andrea al Quirinale* von *Bernini* (Abb. 15) ist dafür ein Beispiel und auch für die Bildung des Sanktuariums als eigene kleine Rotunde (mit eigener Laterne), wobei es auffällt, daß der Hauptraum in der Querachse zwischen zwei Abseiten geschlossen ist. Im allgemeinen geht die Absicht einerseits auf die Belebung, dynamische Kräftigung der Kuppelrotunde, die ja von sich aus zwar optimal einheitlich, aber einförmig, monolith ist, und andererseits auf die Überwindung der „toten Winkel" und verengenden Einziehungen bei der Kreuzkuppelkirche mit Vierung. *Borrominis* Einstellung zu diesen Problemen ist ungewöhnlich und für die fernere Entwicklung ausschlaggebend. Er nämlich gibt den Anstoß zu der Kreuzung beider Typen, also zu der Ausbildung eines zentralen Einheitsraums, der aus Elementen sowohl des einen wie des anderen Typus besteht und so Wirkungen und Qualitäten besitzt, die keinem der beiden Typen allein eigen waren. Im kleinen, vorzüglich durchgebildeten Kirchenraum von *S. Carlino* (1638–40) z. B. sind zwar „Kreuzarme" und auch „Pendentifs" vorhanden, aber die Architektur, überfangen von der ovalen Gewölbekalotte, vermittelt ein Optimum an kantenloser Rundung, verstärkt noch durch die Anordnung der Säulen in einer eigentümlichen beweglichen Position (Abb. 18). *S. Ivo della Sapienza* (Abb. 24) wiederum besitzt das Merkmal der gewölbten Rotunde, denn die sechs alternierend gebildeten hohen Konchen setzen sich über dem Gebälk der großen kannelierten Pilasterordnung im gleichen Krümmungsgrad als Gewölbekappen fort und neigen sich oben zum Rund des offenen Laternenfußes zusammen. Aber diese ruhevolle, sich konsequent vom Boden bis zum Scheitel entwickelnde Architektur ist nicht nur aus zylindrischen, sondern auch aus prismatischen Elementen gebildet und erreicht damit und durch andere, mit der Konzeption aus dem Sechseck zusammenhängende höchst bedeutende Züge einen Reichtum und eine Spannweite der Möglichkeiten, die bisher keinem Rotundenbau der neueren Kunst gegeben war.

Damit war eine Entwicklung angebahnt, die noch im 17. Jahrhundert auf oberitalienischem Boden durch den Mathematiker, Maler und Baumeister *Guarino Guarini* (1624–83) eine eigentümliche, für die Zukunft maßgebliche Wendung erhielt. *Guarini* kannte Rom von seinem Aufenthalt 1639–47, schätzte Palladio, besaß ein Verständnis für Gotik und eine echt oberitalienische Neigung zu theatralischen Helldunkelwirkungen und reicher Musterung (Abb. 25–27). Obwohl von seinen Kirchenbauten, die er als Theatinermönch für Messina, Vicenza, Turin, Lissabon, Paris und Prag entwarf, wenig ausgeführt und noch weniger

55–56 PARIS, PALAIS DU LUXEMBOURG. 1615–20 von S. de Brosse für Maria von Medici, die Witwe König Heinrichs IV., erbaut. Torpavillon. Das Motiv der „Kuppel über dem Tor" ist in der französischen Schloßbaukunst schon im 16. Jh. heimisch gewesen, ebenso das Motiv der Doppelsäule. Mit der Bossierung wird an den Palazzo Pitti in Florenz, die Heimatstadt der Bauherrin, erinnert (vgl. Bd. VIII, Abb. 41). Die Gesamtanlage (56, nach Stich Turgots) zeigt die modernen Züge deutlich. Anstelle eines gleichmäßigen Vierkantschlosses um einen Hof erkennt man die ungewöhnliche, palastartige Heraushebung des Corps de Logis, das jeweils ein Paar von Eckpavillons besitzt und von dem aus zwei niedrigere Seitenflügel ausgehen, in denen sich Galerien befinden (im linken war die Bilderfolge Rubens', der „Medicizyklus", untergebracht, vgl. Abb. 149). Die vierte Seite des Hofes beschließt ein schmaler einstöckiger Trakt, aus dem sich kräftig der Kuppelpavillon des Tores heraushebt. Zweifellos ein Initialwerk der klassischen Form des französischen Palastschlosses im Zeitalter des Barocks.

57 PARIS, HÔTEL SULLY, Ausschnitt vom Wandrelief der Fassaden. Seit 1624 von J. A. Ducerceau d. J. erbaut. Typisches Beispiel für die manieristische Ornamentierungskunst in der um 1600 üblichen Mischbauweise aus Ziegeln und Haustein, womit sich ein farbiger Eindruck verbindet, eine Verwandtschaft zu niederländischer Architektur.

58 FONTAINEBLEAU, SCHLOSS, SALON LUDWIGS XIII. Um 1630. Leitmotiv für diese Innendekoration ist die Reihung verschieden großer „Felder", ähnlich den „Tafeln", die Frankreich bei der Außengliederung liebte.

59–63 EPOCHEN DES FRANZÖSISCHEN SCHLOSSBAUS IM 17. JH.: BALLEROY, Departement Calvados. 1626–32 für Jean de Choisy von F. Mansart erbaut, noch im Material und im Geiste des französischen Frühbarocks, eigentümlich durch die Gruppierung der Bauteile in pyramidalem Sinne (59). – MAISONS, Laffitte bei Paris. 1642–50 für René de Longueil von F. Mansart erbaut. Ansicht der Gartenfront (60). In der Dreigliederung von Eck- und Mittelpavillons mit den Bindegliedern der kurzen Flügel traditionell, aber in der geistreichen Behandlung des Wandreliefs durch die gruppierten, gestaffelten Pilaster und wegen der jetzt durchgehenden Proportionierung aller Teile nach einheitlichem Maß vornehmstes Beispiel der sog. „Frühklassik", d. h. der stilbildenden Phase französischer Barockarchitektur 1630–60. – VAUX-LE-VICOMTE. 1656–58 von L. Le Vau für den Surintendanten der Finanzen, Fouquet, erbaut, glänzend ausgestattet und mit dem modernen, hochbarocken Motiv des mittleren Rundsaals an der Gartenfront (Salle à l'Italienne) ausgezeichnet (61). Gegenüber Mansarts Architektur ist die Le Vaus heiterer, weicher und auch im äußerlichen Sinn „barocker". Stärker spielt hier die Rustika-Musterung neben den glatten Spiegeln der großen Pilasterordnung eine Rolle. Ganz unitalienisch ist aber der zweigeschossige Giebelvorbau vor dem Rund des Saales, mit dem die plastische Wirkung des neuen Motivs in die Fläche zurückgebügelt wird. Den Schloßgarten legte A. Le Nôtre an. Ludwig XIV. erfuhr hier in Vaux etwas von den großen Möglichkeiten fürstlicher Repräsentanz, die er später in Versailles im königlichen Ausmaß erproben sollte. – Für die französische Architektur nach 1650 grundlegend wurden Mansarts und Le Vaus so verschiedene Auffassung von Wandgliederung, die sich im Vergleich von Abb. 62 – Maisons – und 63 – Vaux – deutlich erfassen lassen.

65 Paris, Ostfront des Louvre-Schlosses. Nach dem Scheitern von Berninis Plänen, 1664/65, aufgrund eines, wohl von C. Perrault angeregten Entwurfs, an dessen Endredaktion 1667 auch Le Brun und Le Vau mitarbeiteten, bis 1678 vor dem Ostflügel des großen Karrees errichtet. Das auszeichnende Motiv der kannelierten, paarweise angeordneten kolossalen Kolonnade ist als Wiederbelebung antik-lateinischen Anspruchs aufzufassen, wie zeitgenössische Quellen beweisen, nicht denkbar aber ohne den kräftigenden Einfluß Berninis, von dem manche Ideen auch in dieser so klassischdistanzierten Architektur bemerkbar sind (Statuenbalustrade, Fehlen der hohen Dachung, Gesamtrhythmus der Gliederung in Sockel und Kolossalgeschoß, Fensterverdachungen z. B.). Dies ist keine Schloß-, sondern eine Palastfront, nicht der König, sondern das Königtum wird verherrlicht.

64, 66-68 Versailles. Ideeller und künstlerischer Zusammenhang von Residenzschloß, Schloßgarten und Stadt unter der Leitidee des absoluten Herrschers, die Ludwig XIV. hier sehr persönlich auffaßte und durch die Ideologie des Sonnenkönigs „sprechend" ausdrückte (66, 67). Kern der heutigen Anlage bildet ein kleines Jagdschloß Ludwigs XIII., 1631 vergrößert und ausgestattet. Seit 1661 gestaltete der junge Ludwig diesen Bau und den vorhandenen Garten zu einem Schauplatz für Feste und Vergnügen um. Erst 1668, nach dem Frieden von Aachen, beginnt unter Le Vau die erste bauliche Erweiterung des Schlosses, der nach dem Frieden von Nijmegen 1677 die zweite, ins Gigantische getriebene unter Hardouin-Mansart folgte. Sie bestimmte die endgültige Form, für die an der Gartenseite, nach Westen zu, die blockförmige Ummantelung des Mittelbaus mit den langen, zurückgesetzten Flügeln in Nord und Süd kennzeichnend ist (64). Dementsprechend besitzt jede der drei freistehenden Seiten des Kernbaus je ein eigenes Gartenparterre, die Mitte der Westseite besetzt die Grande Galerie mit den beiden Sälen des Friedens (im S., Flügel der Königin) und des Krieges (im N., an der Mündung der Grands Appartements). Sie drängt damit das Schlafzimmer des Königs, den ideellen Mittelpunkt der Anlage, zurück. Auf der Stadtseite weitet sich der Hof bühnenmäßig aus, vom Vorplatz gehen drei Alleen aus, zwischen denen die Stallungen als selbständige „Schlösser" 1679–82 angelegt wurden. Rechts neben den 1771 mit neuen Fassaden maskierten Flügelbauten des inneren Hofes erblickt man die Hofkirche, die erst 1689 grundgelegt und 1699–1710 nach Plänen Hardouin-Mansarts von R. de Cotte erbaut wurde. Der Innenraum von vornehmster Wirkung, als zweigeschossige Emporenkirche angelegt und wieder durch das königliche Motiv der kannelierten Kolonnade ausgezeichnet (68), gehört zu den schönsten, nach Farbigkeit und Lichtverhältnissen gleich vorzüglichen Schöpfungen der spätbarocken Architektur. Die monumentale Dekoration von Versailles war in dem 1752 leider abgebrochenen Treppenhaus im Nordflügel, Grand Escalier des Ambassadeurs – wegen der zeremoniell geregelten Benutzung so genannt –, zweifellos exemplarisch vertreten, wie die Stiche von J. M. Chevot und Ch. Sioneau, 1725, erkennen lassen (67). Das Treppenhaus besaß reines Oberlicht durch eine weite, rechtwinklige Öffnung im Gewölbe; Blickpunkt war unten der mittlere Treppenaufgang und die illusionistischen Wandbilder dahinter, am Gewölbe deuteten allegorische und mythologische Darstellungen (Vier Weltteile, Tugenden des Fürsten) Anspruch und Geist des absoluten Fürstentums in den Gemälden Le Bruns der ganzen Welt aus; merkwürdig war das weitgehende Fehlen plastischer Dekoration.

55 ▷

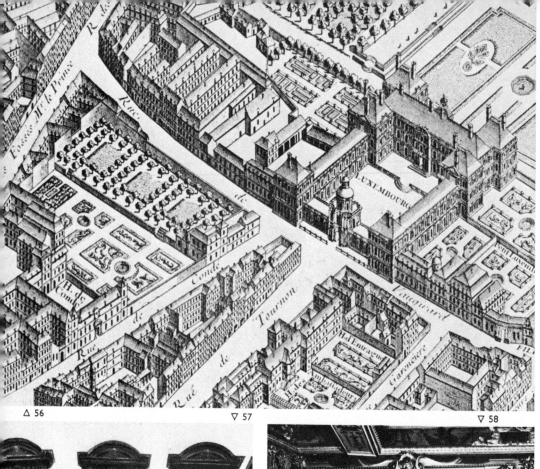

△ 56

▽ 57

▽ 58

△ 59

△ 60 ▽ 61

△ 62

▽ 63 64 ▷

△ 65 ▽ 66

überliefert wurde, wirkte er durch seine Lehrtätigkeit schulbildend in Oberitalien (*Bernardo Vittone, Filippo Juvara*) und nördlich der Alpen. Auch er verfolgte das Ziel einer „Kreuzung" der herkömmlichen Typen des Kirchenbaus. Seine Turiner Kirchen, nämlich die Zentralbauten S. Lorenzo, seit 1668, und die *Reliquienkapelle des Doms* (Abb. 25–27) beweisen das. Eine Gegenüberstellung der letztgenannten mit S. Ivo (Abb. 22–24) zeigt die tiefgreifenden Unterschiede im Raumbild wie in der Struktur ausreichend klar. *Guarini* erreichte die untypische „Kreuzung" nicht durch Fügen gegensätzlicher Elemente wie *Borromini*, sondern dadurch, daß er in den einfachen Mantelbau eine kontrastierende Binnenarchitektur hineinbaute. Gerade dies aber war es, was epochemachend wirkte, weil es den Weg wies für die Umgestaltung von Langbauten. Ein Entwurf *Guarinis* (Abb. 26) zeigt, wie das zu verstehen ist: In die kreuzförmigen Mantelmauern sind mehrere zentralisierte Raumglieder so eingestellt und durch Arkaden zueinander geöffnet, daß sich eine netzförmige Konfiguration ergibt, die im Gewölbe aus „Kuppeln" und „Kappen" besteht. Wegen der synkopischen Verkettung im Grund- und Aufriß und der Öffnung zueinander verlieren die Raumglieder viel von ihrer Selbständigkeit. Umgekehrt gewinnt der Gesamtraum neue konzentrierende Momente und eine „Vielbildlichkeit", die er von sich aus nicht besitzt. Das ist der Punkt, an dem die dritte Phase der Barockarchitektur um 1700 ansetzen sollte.

Um 1590 war *Paris*, das hundert Jahre später ein europäisches Kunstzentrum von Weltrang werden sollte, eine vom Bürgerkrieg heimgesuchte, ermüdete Stadt ohne Hoffnung und besondere Distinktion, architektonisch weniger ansehnlich als manche Bürgerstädte der Niederlande oder der Hanse. Die Ansätze einer monumentalen Bautätigkeit waren zum Stillstand gekommen, der Louvre, in dessen Hof Lescots Fassadenfragment schon bestand, war weder Fisch noch Fleisch. Vor der Stadtmauer verfiel der kärgliche Rest des Palais der Tuilerien. Der Bau der Grabesrotunde der Valois bei St. Denis war eingestellt worden (1585), St. Eustache, der einzige Kirchenbau des 16. Jahrhunderts von Rang, hatte gotisches Aussehen und ragte mit einem Notdach bedeckt zwischen mittelalterlichen Häusern auf. Was als „moderne" Architektur auffallen konnte (z. B. die Hôtels Carnevalet, Lamorgnon), war ein Abglanz des Schloßbaus, der sich außerhalb von Paris, seit Franz I. vornehmlich im Loiretal, während des 16. Jahrhunderts „modern" umgebildet hatte. Noch war Frankreich nicht Paris, noch wurde das Wort, dem die Zukunft gehörte, in der Mehrzahl gebraucht: Les Etats – die Stände, noch nicht L'Etat – der Staat.

Der *französische Schloßbau* wurzelt politisch, kulturell und baulich in der mittelalterlichen Welt des feudalen Territorialstaates. Das Schema der Anlage und seine Bestandteile sind alt: ein weiter Hof, an dem Türme und Trakte angesiedelt sind, die Umwallung mit Graben, Zugbrücke, Tor und seit der Spätgotik die Anordnung der oft großen, steinkreuzbesetzten Fenster in vertikalen Bahnen sowie die typische hohe Dachung mit ihren Lukarnen. Die bedeutende Veränderung dieses Gebildes seit etwa 1540 bestand in der Ausbildung des „Flügels" und des „Pavillons", wobei der letztere seinen Funktionen nach sicherlich den Turm ersetzte. Wodurch aber wird ein Turm zum Pavillon? Die Frage, die bisher nicht ohne nationale Empfindlichkeit behandelt wurde, kann nur so beantwortet werden: durch formale und proportionale Angleichung an den Trakt, der eben dadurch erst wirklich zum „Flügel" wurde. Es handelte sich also um eine stilistische Umgestaltung, und diese ist ohne

◁ 68

den Anstoß der italienischen Renaissance nicht zu erklären. Die nächste Etappe veranschaulichte das *Palais du Luxembourg* (Abb. 56) vor dem Um- und Ausbau des 18. und 19. Jahrhunderts. Der Hof mit seinen beiden langen Galeriebauten liegt v o r dem Hauptbau, der, mittels Pavillons und Flügel, sich nach dem Typus der „Hausmitte mit vier Trabanten" (D. A. Chevalley 1971) formiert und auch in der Panzerung seiner Hausteingliederungen (Abb. 55) deutlich palastähnliche Züge angenommen hat. *Salomon de Brosse* (1562–1626), der Erbauer dieses ersten Stadtschlosses von Paris, hatte bereits vorher im (zerstörten) Landschloß von Blérancourt dieselbe Konzeption verwirklicht. Mit ihr war der Weg vorgezeichnet, den der „klassische" Schloßbau Frankreichs im 17. Jahrhundert beschritten hat und der architekturgeschichtlich als Annäherung an den Typus des Villenpalastes italienischen Ursprungs, im Zusammenhang mit der Ideologie des „antiken Hauses" zu verstehen ist. Eine wichtige Konsequenz davon war die jetzt auch architektonisch durchgebildete Unterscheidung von vorderer Hof- und hinterer Gartenfront, eine weitere die Ausbildung der „avant cour", einer Hofform, die in Frankreich der Öffnung nach außen im römischen Barock entspricht. So ist es nicht verwunderlich zu erfahren, daß 1610, als Blérancourt, und 1615, als der Luxembourgpalast entworfen wurde, Paris durch Heinrich IV. die ersten städtebaulichen Maßnahmen erlebt hat (Place des Vosges, Neubau des Pont Neuf mit der Place Dauphin, Wiederbeginn des Ausbaus vom Louvre mit der Galerie an der Seine, Wiederherstellung des Tuileriengartens, der Wasserleitung). Freilich war die Bauweise dieser Phase einfach, verwandt noch derjenigen in den Niederlanden, ein Mischbau von Ziegeln mit schmückenden Hausteingliedern, gekennzeichnet durch die schmalen Fensterformen und eine karge, platte Lisenen- oder Pilastergliederung. Schloß *Balleroy* (Abb. 59) bietet noch nach 1625 ein Beispiel dafür. Nur gelegentlich schmückte sich diese Architektur mit dem Motiv von Statuennischen und prunkte als reine Inkrustationsarchitektur (Schloß *Maisons*, Abb. 60), Nachklänge des Manierismus.

Zwischen 1630 und 1661, unter der „geheimen" Herrschaft der Minister Richelieu und Mazarin, als sich die absolute Staatsform herausbildete, entfaltete sich die französische Baukunst mächtig. Paris wurde auch Vorort der Baukunst und die Grundzüge des „Style classique" bildeten sich aus. Rom wird nun das Vorbild, Quelle neuer künstlerischer Strömungen. Erstmals treten in Paris Architekten auf, die für die Ziele und Merkmale der Barockarchitektur empfänglich und fähig sind, diese persönlich auch zu gestalten. Erst jetzt kommt es in Paris zu einer nennenswerten kirchlichen Bautätigkeit (St. Paul et St. Louis, 1627), deren wichtigstes Ergebnis die Aufnahme der Tambourkuppel und der römischen Kirchenfassade ist. Der Hôtelbau erneuert sich (Hôtel de la Vrillière, de Lyonne, Lambert, Beauvais, letzteres 1655 von Antoine Le Pautre), nicht zuletzt durch den schon von der fortschreitenden Etatisierung begünstigten Geld- und Beamtenadel. Die königliche Bauverwaltung festigt sich, am Louvre wird wieder gebaut. Die Stiftungen des Hofes nehmen zu: Sorbonne durch Richelieu 1638, Val de Grâce anläßlich der Geburt Ludwigs XIV. durch die Königinmutter 1643, Collège de Quatre Nations durch Mazarin. Die monumentale Dekoration im Innern, hauptsächlich in der Form der „Galerie", wird mit antikischen Themen und nach barocken Mustern (Cortona, Romanelli) üblich: im Hôtel de la Vrillière (von François Perrier, 1645–50), im Palais Mazarin (seit 1646 „untere" und „obere" Galerie), im Louvre (1655–57, Poussins Projekte für die Galerie 1641/42) und im Hôtel Lambert (seit 1648).

Die führenden Architekten dieser Phase waren *Jacques Lemercier* (1585–1654), *François Mansart* (1598–1666) und *Louis Le Vau* (1612–70), Männer der gleichen Generation wie *Maderno, Borromini* und *Rainaldi* in Rom. *Lemercier* hatte sich bis 1614 in Rom aufgehalten und wurde beim Kardinal Richelieu Hausarchitekt. Für ihn baute er Schloß und Stadt von Richelieu, seit 1631, erneuerte das Palais in Paris und errichtete die *Kirche der Sorbonne*, sein Hauptwerk (Abb. 70). Auch in die komplizierte Entstehungsgeschichte von *Val de Grâce* (Abb. 71) hat Lemercier eingegriffen, und zwar im Wettstreit mit Mansart. In diesem Architekten, der ursprünglich Bildhauer war, haben wir die überragende Persönlichkeit dieser Phase zu erblicken, einen Mann, der unbequem und langsam war wie Borromini und der ohne das übliche Bildungserlebnis von Rom aus eigenem die Prinzipien des modernen, römischen Stils begriff und in ganz persönlicher Gestaltung verwirklichte.

In die Geschichte des Schloßbaus griff *Mansart* 1635 mit dem Ausbau von *Blois* im Auftrag von Gaston d'Orléans ein. Mansart gruppiert, erfindet als baukünstlerischen „Medialwert" das Motiv der flach gekurvten durchsichtigen Kolonnaden des inneren Hofes und schafft mit einem kräftigen, energischen Wandrelief erstmals echte plastische Wirkungen, wozu die konsequente Entgegensetzung der traditionellen Fensterbahnen mit der geschoßweise angeordneten Pilasterstellung vorzüglich paßt. Schloß *Maisons* (Laffitte) zeigt heute noch innen (Treppenhaus) und außen den auf Großes gerichteten Geist Mansarts, der bei aller Strenge doch dynamisch wirkt (Abb. 62). Das wird noch deutlicher, wenn man diesen Bau mit *Le Vaus d. Ä.* Schloß in *Vaux-le-Vicomte* konfrontiert, das fast gleichzeitig, seit 1652, für den allmächtigen Surintendanten der königlichen Finanzen, Fouquet, entstand (Abb. 63).

Bei Mansart ein streng geschichtetes, aber gegensätzlich komponiertes Relief, das knapp auch über die Baukanten hinweggreift und im Motiv der Pfeiler- und Pilasterpaare altfranzösische Baugedanken aufgreift. Bei *Le Vau* mehr Farbigkeit, mehr ornamentaler als artikulierter Wechsel und größere Spannweite von groß und klein, mehr optische Einheit und Geschmeidigkeit, während bei Mansart alles gegenwärtig, plastisch, nah wirkt. 1661 war Vaux mit seinem Garten von *André Le Nôtre* (1613–1700) vollendet. Der junge König wohnte einem glänzenden Fest und einer Aufführung von Molières Ballett „Les Fâcheux" mit der Musik Lullys und der Dekoration von *Charles Le Brun* bei. Lafontaine hat das Ereignis beschrieben. Kurz darauf folgte der Sturz Fouquets, und Ludwig XIV., der nach dem Tod Mazarins den Willen zur Alleinregierung erklärt hatte und sehr bald auch deutlich genug verwirklichte, übernahm das ganze Künstlerteam, das Vaux hervorgebracht hatte, für seine eigenen und weitgehenden Pläne. Die Geburtsstunde von Versailles hatte geschlagen.

Versailles ist die persönliche Schöpfung Ludwigs XIV. Hier hat sich der Monarch als Roi Soleil (in Anlehnung an einen alten Topos der Staatsallegorie und mit dem Prunk mythologischer Verbrämung) feiern und darstellen lassen. Versailles ist kein architektonisches Werk im engeren Sinn, denn der Schloßgarten *André Le Nôtres* bildete einen integralen Bestandteil der Anlage ebenso wie die monumentale Dekoration, die unter der Intendanz *Charles Le Bruns* im Innern entstand (Abb. 67). Versailles ist auch kein „Schloß" wie Maisons oder Vaux. Nach der ersten Erweiterung seit 1668 unter *Louis Le Vau* bildete der Kernbau an der

Gartenseite ein Triklinium mit der untersockelten Terrasse vor dem Schlafzimmer des Königs, kein geläufiges Motiv der französischen Schloßbaukunst. Auch das Schema der Fassadengliederung *Le Vaus*, das an Bramante anknüpft (A. Blunt), gibt dem Bauwerk eine besondere Note und siedelt es ideell im Bereich einer veneria reale, einer königlichen Villa, an. Erst mit der zweiten Erweiterung seit 1678 schlug diese Qualität in die Quantität einer fast urbanistischen Dimension um und erlitt auch „ikonographisch" eine wichtige Veränderung. Denn der Ersatz der offenen Terrasse im Westen durch die Grande Galerie, deren Bilderschmuck das Leben des Königs zwischen die Pole von Frieden und Krieg einspannt, hob die Institution des Königtums, den Staatsgedanken auch in Versailles nachdrücklich hervor. Als schließlich im Park von Versailles das Trianon des Marbres entstand, als ein Refugium des Personenkults außerhalb des Schlosses, und mit dem Bau der Kirche seit 1699 (Abb. 68) erneut der umfassende Anspruch des Königtums als Sachwalter des Staates wie auch der Kirche bekräftigt wurde, war die Ära Ludwigs XIV. längst diejenige der ersten europäischen Staatskunst im modernen Sinn geworden.

Ihre Geschichte begann schon 1661 mit der Berufung Colberts und mit der alles umspannenden Zentralisierung von Kompetenz, Planung und Mittel. Damit waren die Voraussetzungen für eine konkurrenzlose Teamarbeit von Malern, Bildhauern, Ornamentisten und Gartenarchitekten geschaffen. 1665 folgte die Reorganisation der Manufacture des Meubles, und im gleichen Jahr zog Colbert die Zügel in der Akademie für Malerei und Skulptur straffer an und traf die Auswahl für den „Fachminister" für Kunst. Sie fiel auf *Charles Le Brun*, womit die Entscheidung für die von jetzt ab erkennbare Zweigleisigkeit des ludovisianischen Dekorationsstils gefallen war, der spätbarock im Dekor und gewählt klassizisierend in der Thematik zu sein hatte. Mit der Gründung der Bauakademie, 1671, wurde der Schlußstein in dieses kunstvolle Bauwerk gefügt und die literarische Formalisierung jeglicher Art von Fragen, welche die Baukunst betrafen, vorausbestimmt. 1673 erschien die maßgebende französische Vitruvübersetzung. Ihr Autor, der Arzt und Physiker *Claude Perrault* (1613–88), der Erfinder des Observatoire und des Triumphbogens im Faubourg St. Antoine, konnte sich rühmen, im Wettstreit über Bernini gesiegt zu haben. Der symbolische und politische „concetto" der berühmten *Ostfassade des Louvre* (Abb. 65) geht aller Wahrscheinlichkeit nach nämlich auf *Claude Perrault* zurück (M. Petzet).

1662 war der ältere *Le Vau* mit der endgültigen Planung für die Schauseite des Pariser Königsschlosses beauftragt worden, bald aber holte Colbert Entwürfe in Rom bei Cortona, Rainaldi und auch bei Bernini ein. 1665 erfolgte schließlich eine ehrenvolle Einladung nach Paris an Bernini, nachdem dieser bereits zwei Projekte aus Rom übersandt und offensichtlich auf Ludwig XIV. auch Eindruck gemacht hatte. In den Aufzeichnungen des Herrn von Chantelou kann man die äußere Geschichte dieses dramatischen Ereignisses nachlesen, bei dem *Bernini* noch einmal das humanistische Ideal des „großen Menschen" vertrat gegenüber *Colbert*, der die moderne Idee des absoluten Staates verfocht und auch durchsetzte (Abb. 65). Es ist das Verdienst des führenden Baumeisters jener Zeit, *Jules Hardouin-Mansart* (1646–1708), wenn das letzte Baudenkmal der Ära Ludwigs XIV., der *Invalidendom in Paris* (Abb. 72), sich über diese Ebene hinaushebt und in seiner Schauseite zusammenfaßt, was die französische Baukunst des 17. Jahrhunderts über die nationalen Grenzen geführt hatte.

Das 17. Jahrhundert begann für die *deutsche Baukunst* verheißungsvoll mit Werken urwüchsigen Charakters. Herzog Maximilian betrieb in München den Ausbau der Residenz; in Augsburg vollendete *Elias Holl* mit dem Rathausbau 1615–20 die monumentale Erneuerung des Zentrums der freien Reichsstadt. Nach dem Dreißigjährigen Krieg aber war es mit diesem Aufschwung vorbei. Das Bürgertum schied aus dem Kreis großer Bauherren aus. Ausländische Architekten und Handwerker beherrschten das Bauwesen für lange Zeit, im Norden Hugenotten und Holländer, im Süden Italiener wie in Prag und Österreich schon seit dem 16. Jahrhundert (Waldsteinpalais in Prag, Mausoleum in Graz, Salzburger Dom, 1614–28 von *S. Solari*, Wiener Servitenkirche). Es begann eine Zeit der Rezeption des italienischen Barocks in den katholischen Ländern, und in den protestantischen blieb der Kirchenbau ohne Distinktion bis ins 18. Jahrhundert oder verkümmerte in den philiströsen Formen einer Nachgotik. Geringschätzige Verurteilung dieser Phase ist jedoch nicht am Platze. Beispiele in Prag, wo kolossale Kloster- und Palastbauten errichtet wurden (Klementinum, Jesuitenkolleg in der Neustadt, Czerninpalais auf dem Hradschin) und Kirchenräume gewaltigen Ausmaßes und ausgeprägten Charakters entstanden (St. Ignaz, seit 1668; Barockisierung der Jakobskirche), oder in Passau, wo *Carlo Lurago* den barocken Aufbau des Domes seit 1668 leitete, dokumentieren eine monumentale Baugesinnung, der eigentümliche Züge nicht fehlen. Dennoch haben alle Bauten dieser Phase etwas Schematisches, Monotones, wozu das Massenhafte der Produktion und das gleichgültige Detail gut passen.

Um 1690 änderte sich die Situation grundlegend. Von *Österreich* ausgehend entstand eine Barockarchitektur neuer Art. Sie erzeugte eine „schwärmerische Begeisterung" für Baukunst (W. Pinder), die sich rasch verbreitete, schon um 1700 die konfessionellen Schranken überwand (Berliner Schloßbau von *A. Schlüter*, vgl. Bd. XII, Abb. 102), die Entfaltung der monumentalen Deckenmalerei herbeiführte (Rottmayrs Deckenfresken im Schloß Frain 1695, in der Breslauer Jesuitenkirche 1704–06) und dazu beitrug, daß die Kunstlandschaften ihren eigenen Charakter glänzend ausbildeten. So entstand nördlich der Alpen ein barocker Subkontinent, dessen Rückgrat das Alpenland vom Neusiedler bis zum Zürcher See bildete mit übergreifenden Führungslinien, die durch erfolgreiche Hausmachtpolitik noch verstärkt wurden (sog. „Schönbornsche Lande": Bamberg–Würzburg–Mainz). Sie reichen einerseits von Wien über Prag bis an den Rhein, andererseits über Dresden bis nach Berlin. Ein Überblick über diese zentraleuropäische Barockarchitektur muß aus chronologischen und inhaltlichen Gründen mit Österreich beginnen, und zwar mit *Johann Bernhard Fischer von Erlach* (1656–1723), der sich von 1670–87 in Italien und an den Meisterwerken des römischen Barocks gebildet hatte und nach seiner Rückkehr in die Heimat sofort mit ungemeinen Entwürfen und Werken hervortrat (sog. erstes Projekt für Schloß Schönbrunn 1688 und Triumphtore anläßlich des Einzugs von Josef I. als deutscher König in Wien 1690). Er wurde 1689 Lehrer des Kronprinzen, 1696 geadelt und 1705 kaiserlicher Oberinspektor des Bauwesens, entwarf zwischen 1694 und 1709 die glänzende Reihe der Salzburger Kirchenbauten, von denen die Dreifaltigkeitskirche großen Einfluß ausgeübt hat und die Kollegienkirche wegen ihres geistigen und künstlerischen Gehalts hervorzuheben ist. Das dreiteilige „bernineske" Lustgebäude mit ovaler Saalrotunde zwischen quaderförmigen Trabanten, das *Fischer* seit 1690 zu erfinden beliebte (Abb. 37), erzeugte eine Unzahl von Nachahmungen und Nachfolgebauten (Liblitz vor und Lobkowitzpalais in Prag, beide von *Alliprandi*, Buchlowitz in Südmähren, die zerstörte Villa Kamecke von *Schlüter* in Berlin, Karlskrone in Chlumec in Böhmen von *Santini-Aichel*, 1723, auch das Schwarzenberg-Gartenpalais von *Joh. Lukas von Hildebrandt*, seit 1699, usw.). Die Fassadengliederung erneuerte *Fischer* von Grund auf durch entschiedene Herausarbeitung der Dominanten (Risalit, Portal, Geschosse), besonders aber durch seine ausdrucksvolle Zeichnung des Details. „Seine feinsten Kunstmittel“, sagt W. Pinder, „sind die geringen Abstände, das gehaltene Relief, die sorgfältige Auswahl seltener Tonstellen“ (Abb. 38–41). Dadurch hat er geradezu erzieherisch gewirkt, sowohl auf das Bauhandwerk wie auch auf die Bauherren, denen nach solcher Kost nicht mehr schmecken wollte, was vorher, etwa von den Austroitalienern, geboten worden war. Da *Fischer* seine „Gedanken“ zeichnerisch anziehend darzubieten wußte und sie auch in Stichen veröffentlichte, wobei ihn sein Sohn, Josef Emanuel (gest. 1743), der ebenfalls Baumeister und des Vaters Nachfolger im Hofbauamt wurde, unterstützte, verbreitete sich die „neue Art“ rasch und weit. Ausschlaggebend dabei dürfte aber die heroische „Sprache“ von *Fischers* Architektur gewesen sein, die sich einer welthistorischen Metaphorik bediente und damals offensichtlich als Erfüllung des Wunschtraums verstanden wurde, den der kaiserliche Hof, die Reichsfürsten und der geistliche und weltliche Adel hegten: Macht, Ansehen und Glanz des Reiches sollten wiedererstehen; nachdem die Ungläubigen gedemütigt waren, sollte nun die französische Monarchie durch das Kaisertum übertrumpft werden. „Denn“, so schrieb Hans Wagner von Wagenfels im „Ehrenruf Teutschlands“, in dem auch Fischer erwähnt wurde, „Kaiser sein heißt nichts anderes als der größte Herr auf Erden seyn“. Vor diesem Hintergrund scheint die Deutung von *Fischers* Architektur als „Kaiserstil mit der Tendenz zum Reichsstil“ (Otto Brunner) berechtigt. Was darunter zu verstehen ist, zeigt die Hofbibliothek und noch umfassender die Schauseite der *Karlskirche in Wien* (Abb. 31). Dieses Charisma, solche Fülle, Universalität und doch soviel Feinheit und Genauigkeit – das fehlt der mächtigen *Superga* von F. Juvara, obwohl doch manche „Motive“ beider Bauten ähnlich sind (Abb. 30). Und ebensogroß ist der Abstand zur französischen Architektur, etwa zu *Hardouin-Mansarts* Schauseite des *Invalidendoms* (Abb. 72), auch dann, wenn man bemerkt, daß Fischer außer dem Pilaster nur die Freisäule als Gliederungsmotiv verwendet wie *Hardouin-Mansart* und daß er seiner majestätisch aufsteigenden Kuppelrotunde – sein Lieblingsmotiv – die antikische Tempelvorhalle als Sockel gab, die seit *Palladio* als Merkzeichen für „Klassizismus“ gilt (vgl. Bd. VIII, Abb. 48). Ganz unfranzösisch ist nämlich Fischers plastisches Empfinden und jene unvergeßliche Art des Österreichers, die klar gezeigten Gegensätze im ganzen doch aufzulösen.

Fischer baute auch in *Mähren* (Schloß Frain, Saalbau und Kirche, 1696–1700), in *Böhmen* (Prager Clam-Gallas-Palais, nach 1713) und in *Breslau* (Kurfürstenkapelle am Dom, ein Spätwerk). Besonders einflußreich war sein 1721 publiziertes Stichwerk „Entwurff einer Historischen Architektur“, allerdings nicht in der Art und in solcher Breite wie sein Rivale in Österreich, *Joh. Lukas von Hildebrandt* (1668–1745), der den „Kaiserstil“ zu einer „Fürstenbaukunst mit Tendenz zum Reichsstil“ herabgestimmt, damit aber auch vielseitig verwendbar gemacht hat. Bei der Anlage von Schloß- und Palastbauten setzte *Hildebrandt* alle Mittel der Perspektive, der Gartenbaukunst und Bauzier glanzvoll ein (Abb. 38, 39) und ebenso bestimmte Lieblingsmotive (Hermenpilaster, Ziergiebel, Abb. 40), wobei ihm die profunde Kenntnis des französischen Ornamentstichs sehr zustatten kam. Auch in der Klosterbaukunst, die in Österreich ein Spezialgebiet von *Jakob Prandtauer* (1660–1726) war *(Melk,* Abb. 54), wirkte *Hildebrandt* durch den nicht vollständig ausgeführten Entwurf für *Göttweig* (vgl. Bd. XII, Abb. 49) prägend. Diese und andere Entwürfe zeichnen sich durch kluges Eingehen auf die Situation und Anpassung an ältere deutsche Baugewohnheiten aus. Als Günstling der Schönborn exportierte *Hildebrandt* seinen erlesenen wienerischen Dekorationsgeschmack schon 1714 nach Mainfranken *(Pommersfelden,* Abb. 41) und spielte später bei der Planung der *Würzburger Residenz* (Abb. 53) neben *Neumann* wohl die wichtigste Rolle. Seinem künstlerischen Temperament nach war *Hildebrandt* trotz der ihm nachgesagten römischen Ausbildung ein Oberitaliener, hellte jedoch Wandrelief und Raumbild energisch auf im Unterschied zu den Austroitalienern. Das unterscheidet ihn als Kirchenbaumeister, der den Zentralbau mit dominantem Zentrum bevorzugte, scharf von *Guarini,* dem er wichtige Anregungen verdankt. Zu ihnen gehört auch die Zweischaligkeit, z. B. der Fassade von *Deutsch-Gabel* in Nordböhmen (Grundriß, Abb. 4) und im imposanten Kuppelraum der Wiener Piaristenkirche (vor 1716 geplant, 1751–53 erst vollendet). *Hildebrandt-Einflüsse* sind in Mitteleuropa seit 1700 Legion, besonders fruchtbar waren sie in Böhmen, Franken und in Bayern.

In *Kursachsen* ist der neue Stil – ähnlich wie im Berlin des ersten Hohenzollernkönigs – kein spontanes Gewächs aus Blut und Boden, sondern eine durch politische Motive begünstigte Schöpfung des Kurfürsten August des Starken, seit 1697 gewählter König von Polen, Konvertit in einem protestantischen Territorium, wie seine Vorfahren dem Theater, der Musik und prächtigen Schaustellungen zugetan und bis zu seinem Tode, 1733, Planer und Leiter umfassender Bautätigkeit, deren schönste Frucht der *Dresdener Zwinger* ist (Abb. 42). Verglichen damit wirkt alles, was in der sächsischen Residenzstadt vor 1700 entstand, auch das stattliche Palais im Großen Garten von *Starcke,* „wenig barock". Das Panorama des Elbufers in Dresden, dessen Bestandteil der Zwinger ja ist, entstand aus der Absicht Augusts, anstelle des alten ein neues Schloß zu bauen. Gleichzeitig mit den ersten Entwürfen dafür von *K. Dietze,* 1703, gab der Regent den Auftrag für sein eigenes Reiterdenkmal, das bekanntlich erst viel später und schwächlich in der „Neustadt" aufgerichtet wurde. Für beide Projekte zog man das Berliner Schloß *A. Schlüters* zu Rate, bald aber auch die Wiener Baukunst. So ist schließlich der Zwinger das Ergebnis des Zusammenwirkens von norddeutschen und österreichischen Kräften geworden (E. Hempel 1965), das Werk nicht nur des Baumeisters *Matthäus Daniel Pöppelmann* (1662–1736) aus Westfalen, sondern auch und vornehmlich, wie wir meinen, des Bildhauers aus Salzburg, *Balthasar Permoser* (1651–1732). Das Anlageschema dieser ursprünglich als Orangerie bezeichneten festlich-barocken Arena dürfte jedoch auf August selbst zurückgehen, von dem eigenhändige „Bauzeichnungen" bekannt sind. *Pöppelmann* rüstete sich für diese Aufgabe durch eine Reise nach Wien und Rom 1610, an der schon die Reiseziele für diesen Zeitpunkt symptomatisch sind. *Hildebrandts* Einflüsse sind auch am Zwinger nicht zu verkennen. – Von *Pöppelmann* stammt ferner das Japanische Palais, die Verbreiterung der Augustusbrücke in Dresden sowie das chinesisch stilisierte Elbschloß in Pillnitz und der Umbau der Moritzburg. Die imposanten Akzente erhielt das Dresdener Elbufer aber erst durch *Georg Bährs Frauenkirche* der Protestanten und *Gaetano Chiaveris* katholische *Hofkirche* (seit 1737). Jene war, vielleicht unter dem Einfluß von *G. A. Viscardis Wallfahrtskirche in Freystadt* als turmförmige Rotunde mit hohem Konchenkranz gestaltet, diese verbindet mit dem Baugedanken der *Schloßkirche von Versailles* (Abb. 68) eine prachtvolle Außenarchitektur und den „borromineske" Turm. Den Zwinger überragten so bis 1945 die Kirchenbauten der beiden sich so lange auch in der deutschen Architekturgeschichte befehdenden Konfessionen im barocken Stadtbild von Dresden.

Bayern nimmt im Kranz dieser barocken Kunstlandschaften eine Sonderstellung ein, die schon vor 1600 durch die *Münchener Jesuitenkirche St. Michael* (vgl. Bd. VIII, Abb. 47, 51) unübersehbar signalisiert wurde. Auffallend ist ferner, daß die bayerische Baukunst nicht einförmig-autochthon wie die alemannische ist, sondern daß sich hier das Überlieferte mit dem Fremden zu selbständigen und bedeutenden Gestaltungen vereint, nicht erst seit dem großen Umschwung 1690–1700, sondern schon im 17. Jahrhundert. Den politischen Anstoß zur italienischen Rezeption gaben die Wittelsbacher Ferdinand Maria und Max Emanuel. Der erstgenannte mit Adelaide von Savoyen vermählt, stiftete die *Theatinerkirche in München* und beauftragte seinen Hofbaumeister *Enrico Zuccalli* (1654–1724) aus Graubünden mit dem Entwurf für den Neubau der Erzwallfahrtskirche Altötting, der zwar nicht ausgeführt wurde, erstmals aber das später so wichtige Thema eines hohen, zur mittleren Rotunde sich öffnenden Kranzes von acht Konchen anschlägt und mit dem ebenfalls als (ovale) Rotunde gebildeten Sanktuarium, das die alte Kapelle umbauen sollte, dem Typ der berninesken Zwillingsrotunde (S. Andrea al Quirinale) entspricht. Neben unausgeführten Projekten für München-Berg am Laim (vor 1724) ist als bedeutende Nutzung dieses Baugedankens die *Wallfahrtskirche Freystadt* von *Giovanni Antonio Viscardi* (1647–1713) zu nennen, an die *Johann Michael Fischer* anknüpfte (siehe oben). In Freystadt wie auch in der Münchener Dreifaltigkeitskirche (1711–14), die wegen ihrer bisher unerkannten guarinesken Züge bemerkenswert ist, verwendete *Viscardi* das Säulenmotiv, das im bayerischen Kirchenraum durch die Münchener Theatinerkirche eingeführt wurde, als optisches Gelenk – auch dies eine später von *Fischer* und *J. B. Gunezrhainer* (Münchener Damenstiftskirche, Landshut) fortgebildete Methode. *Zuccalli* wandte sie in der Schauseite von Ettal (Entwurf 1709) an, und zwar in berninesker Kurvierung. Auch die Zentralbauten der einheimischen Baumeister im 17. Jahrhundert sind untypische Solitärbauten, besonders Westerndorf bei Rosenheim und Maria Birnbaum bei Aichach, 1661–68 von *Konstantin Pader*, und Vilgertshofen, 1687–92 von *Johann Schmutzer*. Der letztgenannte Architekt, ein hervorragendes Mitglied der Wessobrunner Stukkateure, schmückte die von Vorarlbergern errichtete Wandpfeilerkirche von Friedrichshafen 1689 mit seiner kräftigen Akanthuszier aus. Für Altbayern ergibt sich also im 17. Jahrhundert ein ungewöhnlich reiches und trotz Krieg und Rezeption auch prägnantes Gesamtbild, das nicht „trotz" der Überfremdung zustande kam, sondern im Zusammenhang damit. Dieser Hintergrund darf bei der Beurteilung der Sakralarchitektur der Brüder *Cosmas Damian Asam* (1686–1739) und *Egid Quirin Asam* (1692–1750) nicht vergessen werden. *Asam* denkt bayerisch und spricht römisch. Die Brüder weilten bis 1713 in Rom, ihre Kirchenbauten in *Weltenburg* und *München* (Johann-Nepo-muk-Kirche, seit 1732) lassen keine Zweifel über die direkte römische Abstammung zu. Neben *Bernini*, dessen Vorbildlichkeit für die Schauseite von Weltenburg kürzlich nach-gewiesen wurde (J. Sauermost 1970), sind auch die römischen Kapellen in S. Maria in Trastevere (Therese von Avila) und S. Carlo ai Catinari (Cecilia) von A. Gherardi zu nennen. Die Methode bühnenmäßiger Beleuchtung und die „bizarren" Fensterformen sind jedoch altes Kunstgut der bayerisch-tiroler Kunst. Für den als „theatrum sacrum" gebildeten, vollständig der Wandgliederung angeglichenen *Hochaltar von Weltenburg* (Abb. 98) gab es in der Theatinerkirche in München Vorbilder. Alle diese formalen, methodischen und ikonographischen „Vorstufen" vergißt man über der dynamischen Neugestaltung der *Asam*, in der sich Baukunst, Malerei und Skulptur vereinigen. Von nun an besitzt der bayerische Kirchenraum z w e i Bildziele: den Hochaltar und das Deckenfresko.

Die alemannischen Gebiete *Süddeutschlands* und der *Schweiz* wurden im Barock das „gelobte Land" der *Klosterbaukunst*. Stift und Stiftskirche in Kempten eröffneten seit 1652 die lange Reihe von Neubauten, unter denen in der Schweiz Einsiedeln und St. Gallen, in Süddeutschland *Weingarten* und *Ottobeuren* hervorragen. Die übersichtliche, rechtwinkelige Anordnung von Trakten und Höfen nach den verschiedenen geistlichen und weltlichen Aufgaben dieser oft reichsunmittelbaren Ordensresidenzen, die dominierende Stellung der Kirche, die entweder wie eine Lokomotive das Ganze vorstehend anführt (Kempten, Ottobeuren) oder die Mittelachse der Höfe bildet, sowie das stattliche Aussehen erweisen diese Klöster als autochthon. Die meisten dieser Klosterbauten führten Mitglieder der seit 1650 in *Vorarlberg* aufblühenden Baumeister- und Bauhandwerkergenossenschaften aus. Sie brachten tüchtige Architekten hervor *(Christian* und *Michael Thumb, Franz II Beer)*. Auch *Caspar Moosbrugger* (1656–1723), der Baumeister von *Einsiedeln* seit 1717, der Pläne für Weingarten und St. Gallen entwarf, war ein gelernter *Vorarlberger*. Das Verdienst dieser Vorarlberger ist die Rezeption der tonnengewölbten, vierungslosen Wandpfeilerkirche mit Emporen nach dem Vorbild der Münchener Michaelskirche und ihre Verbreitung in Süddeutschland (Wallfahrtskirche Schönenberg bei Ellwangen und Obermarchtal, beide von *Michael Thumb*), in der Schweiz (z. B. St. Urban) und im Elsaß (Ebersmünster). Diese Kirchenräume stellen die deutsche Antwort auf das italienische Ideal des Einheitsraums dar: keine horizontale Absetzung von Wölbung und Wand, kein frontalisiertes Gliederungskontinuum als Reliefarchitektur, wie das der italienischen „Schalenbauweise" entsprach, sondern der regelmäßige Wechsel von pfeilerhafter Festigkeit und lichtgefüllter Öffnung an den Seiten des Langhauses bei festem Abschluß durch das jochweise gebundene Gewölbe, das sich in Bögen und Gewölbefüßen verzweigt, bevor es über den weitausladenden Kämpfergesimsen der Pfeilerköpfe aufruht. Diese „Wandpfeilerbauweise" kann natürlich auch auf andere Bauaufgaben übertragen werden, wie z. B. in Bayern. In Österreich und Böhmen war sie fremd.

Um 1700 aber kommt Bewegung in die starren Fronten. Die Vorarlberger nehmen zentralisierende Gewölbeformen und die Tambourkuppel auf (beides auch in Weingarten). *Moosbrugger* fügt dem Langbau von Einsiedeln die große achtseitige Rotunde ein; die Zweiturmfronten von Weingarten und von St. Gallen ahmen *Fischers* Lieblingsmotiv, die ovale

Rotunde, nach dem Vorbild der Salzburger Kollegienkirche nach. Das sind deutliche Anzeichen dafür, daß sich die Stilwende von 1690 selbst im Kernland der deutschen Traditionalisten bemerkbar macht. Dasselbe ist seit 1700 auch in *Böhmen* zu beobachten. Erst jetzt tritt in diesem Gebiet traditioneller Schalenbauweise die süddeutsche Wandpfeilerbauweise auf, wohl vermittelt durch *Christoph Dientzenhofer* (1655–1724), demjenigen der fünf Baumeisterbrüder dieses Namens aus Bayern, der in Prag ansässig wurde, während die übrigen, darunter *Johann* (1663–1725), der Erbauer des Doms in Fulda, der Abteikirche von *Banz* im Maintal (Abb. 7) und des Schlosses Pommersfelden, in Franken tätig waren. *Christoph Dientzenhofer* leitete auch die Verbindung von Schalen- und Pfeilerbauweise im Dienste einer guarinesken Binnenarchitektur ein (*Margarethenkirche* in *Prag-Břevnov* 1708–15, für Christoph Dientzenhofer urkundlich gesichert, Abb. 43). Zwei mittleren breiten Jochen ist ein eingezogenes Joch vor- und nachgesetzt. Diese Komposition sieht man auch von außen. Die eingezogenen Joche sind als Rotunden in der Schalenbauweise, die beiden mittleren Joche aber im Wandpfeilerbau und als Baldachine gebildet. Alle vier bilden eine Gruppe, die sich von der Eingangshalle bis zum Chor hin entwickelt, wobei eine Rotunde als Zwischenglied funktioniert. Anders liegen die Dinge bei *St. Niklas in Prag-Kleinseite* (Abb. 45). Das imposante Langhaus, 1704–11 erbaut, ist ein eindrucksvolles Beispiel für die guarineske Schalenbauweise. Die merkwürdige Kurvierung der Seitenwände fällt auf. Ihretwegen stehen die Arkaden der angrenzenden Kapellen und Emporen auch über kurvigem Grundriß (= „Bogenarkade"). Das erklärt sich aus der guarinesken Konzeption des Langhauses in Form einer Verkettung von einzelnen, sich gegenseitig fragmentierenden Raumgliedern. Gedacht sind diese als quergelagerte, ovale Rotunden, von denen wegen der weiten Öffnung zueinander in der Hauptrichtung nur die schalenförmigen, in Bogenarkaden geöffneten Fragmente der Seitenwände vorhanden sind. Den Beweis für diese Lesart liefern die vertikalen Spalten zwischen den großen Pilastern. Die Konzeption aber wurde im Gewölbe nicht konsequent durchgeführt, sondern nur durch Führung von Gurten simuliert, bevor diese Gurte wegen *Krackers* Fresko abgeschlagen wurden: ihre Spuren kann man noch heute am Gewölbegrund erkennen.

Die Konzeption einer guarinesken Binnenarchitektur aus vollständig gebildeten Rotunden auch im Gewölbe findet sich auf böhmischem Boden erst in der Paulanerkirche von Nová Paka (1709–24, Baumeister unbekannt). Die chorlose, sehr bescheiden ausgestattete, aber künstlerisch konsequent durchgearbeitete Langkirche in Nordostböhmen enthält nämlich fünf Rotunden als „Einheiten", die alle im Gewölbe vollkommen ausgebildet sind, sich so nach Größe und Form unterscheiden, daß sie eine zur Mitte hin sich konzentrierende Raumgruppe ergeben. Drei dieser „Einheiten" besitzen überdies nach der von *Hildebrandt* eingeführten Methode eine zweite, dünne, konzentrisch zur ersten Schicht geführte Schale, aus der seitlich Blendarkaden ausgeschnitten sind, so daß der Rest eines Baldachins innerhalb dieser Rotunden angedeutet wird. Der Kirchenraum ist hell und überschaubar; er besitzt jedoch durch die beschriebene Binnengliederung eine Innervation in verschiedenem Grade, die jedem Einheitsraum bisher fehlte und auch den Konfigurationen Guarinis mangelte, weil diese das Zusammengesetzte ihrer Struktur niemals leugnen. Mit diesem Bau war die in Prag bereits eingeleitete Synthese in dasjenige Stadium übergeführt worden, von dem

Balthasar Neumann (1689–1753) ausgegangen ist. Dieser „weitblickende Geist" (W. Pinder), der schon früh die Kenntnis des Guarinesken bewiesen und mit der Binnenarchitektur der Schönbornkapelle am Würzburger Dom den ersten Schritt zur persönlichen Entwicklung unter Beweis gestellt hat, kannte Böhmen aus eigener Anschauung, arbeitete mit *Johann Dientzenhofer* und *Joh. Lukas von Hildebrandt* bei der Planung der Residenz in Würzburg zusammen und lernte auf seiner Parisreise 1723 auch die moderne französische Architektur kennen. Die geistreiche Behandlung der Freisäule bei *J. Hardouin-Mansart* (*Paris, Invalidendom*, Abb. 73) muß *Neumann* besonders aufgefallen sein. Auch ist anzunehmen, daß sich der fränkische Baumeister die Probleme von Baldachin und Rotunde bei einer Zusammensetzung im Sinne Guarinis ebenso klargemacht hat wie die Grenzen und Möglichkeiten der Zweischaligkeit bei *Hildebrandt*. Diese bestehen nämlich darin, daß die innere von der äußeren Schale nur fiktiv gesondert ist. Wollte man sie faktisch trennen, brauchte man dazu die Mittel der Wandpfeilerbauweise oder das Freisäulenmotiv. *Neumann* muß also erkannt haben, daß erst die Kreuzung und Zusammenfassung aller bisherigen Motive, Themen und Bauweisen nötig waren, um das geheime Ideal der Sakralbaukunst des Barocks, nämlich den universalen *Gesamtraum* (Günter Neumann 1947), schaffen zu können. Die Schloßkirche der Würzburger Residenz, 1732–40, die *Wallfahrtskirche Vierzehnheiligen* (Abb. 46–50) und die Abteikirche Neresheim (1747–49 *Neumanns* Planung, Ausführung nach dessen Tod 1753–92) zeigen, daß *Balthasar Neumann* das Ideal des „Gesamtraums" nicht nur theoretisch verstanden hat, sondern es auch im universalen Sinne verwirklichen konnte: Die „Quadratur des Kreises" der barocken Sakralarchitektur ist hier tatsächlich gelungen, der Kirchenraum erfüllt die Aufgabe aller Kunst, ein Allgemeines darzustellen und gleichzeitig das Besondere in höchster Individuation erkennen zu lassen. Damit beantwortete *Neumann* die Idee *Fischers von Erlach* auf seine Weise als Baumeister und abschließend für die Gesamtgeschichte der europäischen Barockarchitektur.

69–73 Pariser Kirchenfassaden des 17. Jh. Sie illustrieren trefflich die Epochen französischer Baukunst, deren Inhalt die Auseinandersetzung mit der römischen Barockkunst war. St. Gervais, 1616–21 von S. de Brosse, repräsentiert die vorbarocke Phase (69), nämlich geschoßweise einfache Reihung von kräftigen Säulenpaaren, ein Lieblingsmotiv der französischen Architektur schon des 16. Jh., schlichte Hervorhebung des Portals durch die Ädikula. – J. Lemerciers Fassade der Sorbonne-Kirche, 1635, vertritt die neue Phase der beginnenden Auseinandersetzung mit römischen Vorbildern (70). Schon die Risalitbildung ist auffällig, deutlich auch der Versuch, Säulen bzw. Pilaster und Intervallgliederung als einen Reliefzusammenhang zu gestalten, im Unterschied zu St. Gervais, wo nur die Säulen, nicht die Intervalle sprechen. – Faßt man diese Phase als „These" auf, wirkt die Front von Val de Grâce, 1645–70 erbaut, als „Anti-These" (71), denn zu deutlich ist hier die komplexe Gruppierung der Groß- und Kleinformen, der Zuwachs an plastischen Kontrasten, die Staffelung. Scheinbar kehrt die Portalädikula von St. Gervais wieder, jetzt aber sukzessiv aus dem ganzen Wandrelief herausgearbeitet. Neben J. Lemercier, der hier tätig war, dürfte F. Mansart hauptsächlich für diesen Eindruck verantwortlich sein. Die berühmte Schaufront von St. Louis des Invalides, 1677–1706 von J. Hardouin-Mansart (72, 73), wirkt gegenüber den älteren Fassaden wie eine Synthese der Entwicklung. Scheinbare Rückkehr zu den einfachen Grundsätzen von St. Gervais: der Mauer vorangestellte Säulen. Tatsächlich aber sind sie jetzt nach Traveen zusammengefaßt und kunstvoll gruppiert, so daß sich eine Entwicklung zur Mitte hin ergibt und auch nach oben, denn die Säulenpaare des Kuppeltambours sind ins Gesamtbild miteinbezogen, die Intervallgliederung spricht bei dieser Entwicklung mit, die immer zugleich „Bild", nicht nur Aufbau ist. Bemerkenswert die ins Innere geführte Säulenstellung beim Portal (73).

74 London, St.-Pauls-Kathedrale. Blick auf den Chor und die Kuppel. 1675–1711 von Chr. Wren nach dem Stadtbrand von 1666 erbaut. „Renaissancehafter" als der Pariser Invalidendom (die Kuppel greift Bramante auf), fest geschichtet und doch von imposanter Massenwirkung; im Charakter, dem profane Züge nicht fehlen, bürgerlich-stattlich.

75 London-Walbrook, St. Stephen, Inneres der Pfarrkirche. 1672–79 von Chr. Wren. Schönes Beispiel für die undynamische Umgestaltung eines einfachen Kastenraums zu einem auf acht Säulenarkaden ruhenden Kuppelzentrum.

76, 77 Englands grosse Schlossbauten im Spätbarock entbehren im Detail so gut wie jeder barocken Vokabel, in der weitläufigen Komposition einfacher, aber dynamisch gestaffelter Bautrakte besitzen sie ein hohes Maß an barocker Wirkung. Castle Howard, 1701 begonnen (J. Vanbrugh und N. Hawksmoore), Ansicht des Torpavillons (76). – Blenheim-Palace. 1704–20 für Herzog von Marlborough erbaut von J. Vanbrugh. Gartenfront (77).

78, 79 Amsterdam, ehem. Rathaus (jetzt königliches Palais). 1648–65 als Monumentum Pacis und Denkmal der Bürgerschaft von J. van Campen erbaut. Inmitten des würfelförmigen, außen nur schwach gegliederten Baublocks liegt der „Burgerzaal" als ein selbständiger, durch alle Geschosse ragender Quertrakt mit seitlichen Höfen, die eine vollständige Durchfensterung der Riesenhalle an zwei Langseiten erlauben (78). An der Ausstattung hat die figürliche Plastik von Artus Quellin d. Ä. (seit 1655) bedeutenden Anteil (Gewölbemalereien erst im 18. Jh.). Auf dem Marmorboden die Bilder der beiden Hemisphären, deutliche Anspielungen an die überseeische Handels- und Landmacht Amsterdams. Die strenge, aber massige Marktfront mit dem unentbehrlichen Glockenturm zeigt das Gemälde von Berckheyde (79).

80 Stockholm, Ständehaus (Riddarhus). 1641–74 von Simon und Jean de la Vallée. Die Fassadengliederung, die in der farbigen Mischtechnik (Ziegel und Haustein) ausgeführt wurde, entwarf Jost Vingboons 1653, wozu das geschweifte Walmdach mit Kupferdeckung vorzüglich paßt. Hauptbeispiel für die franconiederländische Richtung der skandinavischen Baukunst des 17. Jh.

81 Stockholm, Königliches Schloss. 1701–64 nach Plänen Nikodemus Tessins d. J. als mächtiges Karree mit zwei niedrigeren Galeriebauten – in freier Verarbeitung von Ideen Berninis für den Louvre – erbaut.

△ 69   ▽ 71   △ 70   ▽ 72

◁ 75 △ 76

▽ 77

△ 80

▽ 81

1625 vollendete *Giovanni Lorenzo Bernini* (1598–1680) für Kardinal Scipio Borghese die lebensgroße Marmorgruppe *Apollo und Daphne* (Abb. 82). Die namensgebende Geschichte Ovids in den Metamorphosen erzählt von der Nymphe Daphne, die sich dem begehrenden Zugriff Apollos durch die von Diana erflehte Verwandlung in einen Lorbeerbaum entzieht. Bernini wählte für seine Darstellung einen Moment, der Nymphe und Gott noch im Gleichklang leichtfüßiger Verfolgung zeigt, schon aber deren Auflösung erkennen läßt, da fast Erreichtes sich in ewig Unerreichbares wandelt. Was die Großplastik bisher darzustellen nicht gewagt hatte, war Bernini gelungen: als Moment wird vergegenwärtigt, was die Dichtung als Vorgang erzählt. Die Daphne bezeichnet in der Geschichte der Skulptur die Wende zum reifen Barock, das Thema wird unmittelbar gestaltbestimmend. Darin liegt schon der Gegensatz zum Manierismus. Bei dem Sabinerinnenraub von *Giovanni da Bologna* in Florenz von 1583 z. B. bedeutet die schraubenförmige Bewegung, die an drei kunstvoll übereinander gebauten Körpern von steinerner Festigkeit dargestellt wird, alles, das Thema nichts (vgl. Bd. VIII, Abb. 127–130). Bernini dagegen nimmt das Thema ernst und versteht es suggestiv zu vergegenwärtigen. Zugunsten der ungehinderten Phantasieherrschaft wählt er seine Mittel aus Bereichen, die im Cinquecento (= 16. Jh.) streng unterschieden wurden und nicht vermischt werden durften, es sei denn im Kunsthandwerk oder in Theater- und Festdekorationen, wo längst üblich war, was Bernini jetzt auf höherer Ebene zum stilbildenden Prinzip erhob, nämlich die Synthese von Relief und Statue, von naturalistischen und idealistischen Zügen. Der Kontur der Daphne z. B. ist an einer Seite bogenförmig geschlossen und statuenhaft gesammelt, an der andern aber offen und reliefmäßig auslaufend. An der Plinthe, die als Erdboden mit Pflanzen geschildert wird und wo Daphnes Zehen schon festwurzeln, finden sich naturalistische Details; die Erscheinung aber der Figuren ist von gewählter Idealität, im Gott wird die antike Statue des Apoll im Belvedere frei paraphrasiert. Gewiß ist die Daphne ein „malerisches" Bildwerk, vor allem deshalb, weil die abwechselnd geglättete, lichtempfindliche Oberfläche „fernsichtig" behandelt wird, so also, als sähe man sie aus der Ferne. Andererseits aber behalten die großen Kompositionslinien bei jeder Art von Betrachtung ihre Herrschaft über das Detail. Das nämlich ist die Hauptsache: es gibt einen Gleichklang des Verschiedenartigen, ein Schwingen und Schweben im Ganzen, das dem Thema entspricht und über die Figuren hinausgreift, obwohl es doch nur von ihnen hervorgerufen sein kann. Diesem neuen Element, das bisher kein noch so malerisches Relief und keine Figur Michelangelos besaß, verdankt Berninis Gruppe ihren poetischen Reiz. Sie besitzt eine Schönheit, die von jetzt ab jeder guten Barockskulptur eignet und sie befähigt, lebendig zu wirken, nicht zum „gefrorenen Bilde" zu erstarren, selbst für denjenigen nicht, den das dargestellte Thema kaltläßt. Dieses Element, das wir mit dem modernen Hilfsbegriff des Dekorativen nur ganz unzulänglich erfassen, erklärt ferner auch

◁ 82 GIOVANNI LORENZO BERNINI, APOLLO UND DAPHNE. 1622-25. Marmor. Höhe 243 cm. Rom, Villa Borghese.

die geschmeidige Verbindung barocker Plastik mit Architektur und Malerei (Abb. 88). Daß das Licht dabei eine große Rolle spielt, ist klar. Falsch aber wäre es, dabei nur an die unwillkürlichen Effekte einer Beleuchtung zu denken. Denn neben Hell und Dunkel als Beleuchtungskonsequenz konvex und konkav modellierter Oberflächen tritt jetzt Glanz und Schimmer durch Politur und Rauhung auf, so daß sich das Licht zu materialisieren scheint und Farbwirkungen hervorgerufen werden. Diese entstehen nicht durch Bemalung, sondern durch eine rein plastische Methode der Bohrung, Politur und gleitenden Modellierung. Das meinte Bernini, als er 1665 sagte, der gute Porträtist müsse die Farberscheinung eines Gesichtes in Marmor übersetzen, nicht aber durch die Farblosigkeit der Form ersetzen, denn das Weiß des Steins töte den Eindruck des Lebendigen. Seine *Porträtbüsten* zeigen heute noch, daß dies nicht leere Worte waren (Abb. 83, 85).

In seinen eigenhändigen Marmorstatuen herrscht nach der Daphne das Thema der *Heiligen* und *Engel* vor. Zugrunde liegt die römisch-katholische Anschauung vom menschlichen Leib als ewigem Zeugnis der göttlichen Inkarnation, ein Menschenbild also, dem der Aufstieg zum Heiligen über das Vermögen der Analogie stets offenstand. Bernini, dessen Glaubenseifer unwiderleglich bezeugt wird, gab dieser Anschauung die barocke Wendung, indem er die Leidenschaften, nicht nur den vorübergehenden Affekt, für sein Heiligenbild nutzte. Mit diesen allgemein verständlichen Ausdruckselementen verband er jene Balance von Ethos und Pathos, die seine Heiligen auszeichnet. Es gilt das nicht nur für die berühmte Darstellung der mystischen Vereinigung der hl. Therese mit Gott in der Cornarokapelle von S. Maria della Vittoria (1645-52), sondern auch vom Bekenner Longinus in St. Peter, vom Beter Daniel in der Chigikapelle von S. Maria del Popolo und von der seligen Albertoni, die im Moment des Todes Gott ihr Herz aufopfert (Altierikapelle in S. Francesco in Ripa). Den höchsten Begriff des Heiligen aber gab Bernini in den beiden *Engeln* für die Engelsbrücke (Abb. 89, 90) als Zustand ewiger Freude und ewigen Schmerzes, der die Figuren in Leuchten oder Brennen und das Gewand an diesen langgliedrigen Wesen zu Licht oder Feuer verwandelt. Über diese Schwelle des Leibhaftigen zum Geistigen ist die Barockplastik nicht hinausgelangt.

Berninis überragende geschichtliche Bedeutung erklärt sich jedoch erst ganz, wenn man seine Rollen als Kunstintendant der Päpste, als Leiter des großen Ateliers von Bildhauern, Stukkatoren und Bronzegießern für die römische Peterskirche seit 1624 bedenkt. Mit diesem Auftrag, der den Meister zeitlebens beschäftigte, wurde Bernini der Lehrer von Generationen europäischer Künstler und der Interpret der Peterskirche. Bernini vertiefte sich so in die Idee der römischen Kirche, daß *St. Peter in Rom* durch seine Bildwerke für alle Welt das anschauliche Denkmal dieser Idee geworden ist. Schon auf der Engelsbrücke empfangen uns die zehn kolossalen Engelsstatuen, welche die Marterwerkzeuge Christi vorweisen. Diese ,,via crucis" führt uns zum Petersplatz. Hier bevölkern Heilige, Bekenner und Märtyrer das Rund von *Berninis Kolonnaden* (Abb. 10, 11), sinnfällige Darstellung des orbis catholicus, der sich zur Welt hin öffnet, zur Basilika aber hinführt. Hat man diese betreten, dann erinnert das *Reiterdenkmal Konstantins* am Fuß der Scala Regia (Abb. 12), sichtbar aus der Vorhalle, an die durch Gott gestiftete Verbindung von Rom und Kirche. Im Kuppelraum aber steigert sich Berninis Bildersprache triumphal. Der Baldachinaltar über dem

Petrusgrab ist als antikes Viersäulenmonument gebildet, überragt vom Kreuz über der Welt, umgeben von den Statuen des Bekenners Longinus, der Zeuginnen Veronika und Helena und des Märtyrers Andreas in den Nischen der Kuppelpfeiler. Sie bilden kolossale Reliquienbehälter, auf denen Michelangelos Kuppel ruht, ein christliches Heroon. Als Zielbild aber und Schluß des Weges erhebt sich zwischen den Papstgrabmälern die *Kathedra Petri* (Abb. 88). Es ist also das uralte Leitmotiv der römischen Kirche, das Berninis Plastik von St. Peter zur Darstellung bringt: Umwandlung des irdischen Todes in geistiges Leben in Ewigkeit, Transfiguration von Passion in Triumph. Neu aber ist die Form: Die Plastik macht uns zum Zeugen eines Schauspiels von Geschichte, Gegenwart und Zukunft, steigert die irdische Erscheinung hinauf und zwingt die himmlische herab, nicht als Illustration

83–86 BERNINI UND DIE RÖMISCHE UND NORDISCHE PORTRÄTBÜSTE. 83 GIOVANNI LORENZO BERNINI, FRANCESCO D'ESTE. 1650–53. Marmor. Höhe 107 cm. Modena, Museo Estense. – 84 ALESSANDRO ALGARDI, KARDINAL L. ZACCHIA. 1626. Marmor. Höhe 70 cm. Berlin-Dahlem, Skulpturensammlung. – 85 GIOVANNI LORENZO BERNINI, COSTANZA BUONARELLI. Um 1635–38. Marmor. Höhe 70 cm. Florenz, Museo Nazionale. – 86 ROMBOUT VERHULST, MARIA VAN REYGERSBERGH. Um 1665–68. Terrakotta. Höhe 45 cm. Amsterdam, Rijksmuseum.

87 GIOVANNI LORENZO BERNINI, sog. MORO. Kolossalfigur inmitten des südlichen Trabantenbrunnens auf der Piazza Navona in Rom, wo Bernini 1648–52 den Vierströmebrunnen schuf. Die 1653–55 nach Berninis Entwurf gemeißelte Marmorstatue führte Mari aus. Dargestellt ist kein Gott, sondern ein Naturdämon, der – auf einer Muschel auftretend – Delphine bändigt und zum Pamphilipalast aufblickt.

88 GIOVANNI LORENZO BERNINI, KATHEDRA PETRI, ROM, ST. PETER. 1656–66. Marmor, vergoldete Bronze, Stuck. – Flankiert von den Papstgrabmälern Pauls III. (links, von Guglielmo della Porta) und Urbans VIII. (rechts, 1628–47 von Bernini), stellt dieses kolossale Bildwerk, das größte Theatrum sacrum des Barocks, Einheit, Rechtmäßigkeit und Ewigkeitsanspruch der katholischen Kirche dar. Im Zentrum wird schwebend das Reliquiar des petrianischen Bischofstuhls gezeigt, den die vier lateinischen und griechischen Kirchenväter gemeinsam berühren und auf den sie hinweisen, während oben Engel auf Wolken erscheinen und im Strahlenglanz vor dem Licht der Fensteröff-

nung der Hl. Geist sich in Gestalt der Taube zeigt.

89–96 STIL UND STILWANDEL DER BAROCKEN STATUE 1625–1725. 89, 90 GIOVANNI LORENZO BERNINI, ENGEL MIT DEM KREUZTITULUS. 1668/69 für die Engelsbrücke gemeißelt. Marmor. Überlebensgroß. Rom, S. Andrea della Fratte. Unübertroffenes Beispiel der berninesken Figurenerfindung, die neben der Frontalansicht (90) auch noch weitere Hauptansichten, immer im Profil (89), für das Verständnis des Themas bietet, ohne die Einheit der Statue zu mindern. – 91 FRANÇOIS DUQUESNOY, HL. SUSANNA. 1629 bis 33. Marmor. Lebensgroß. Rom, S. Maria di Loreto. Gegenüber Bernini selbständige Auffassung des Heiligenbildes unter Hinwendung an Raffael, im Ausdruck weicher, plastisch undeutlicher, unfähig zur Umsetzung von Gewand in Bestandteile der thematischen Aussage wie dagegen bei Bernini (89, 90), enger gebunden auch an die antiken Prototypen (Urania). – 92 UMKREIS VON ARTUS QUELLIN D. Ä., PETRUS IN DER REUE. Um 1650. Terrakotta. Höhe 45 cm. Ehem. Berlin, Kaiser-Friedrich-Museum. Interessantes Beispiel niederländischer Barockskulptur unter direktem Einfluß Rubens', wobei die Zunahme naturalistischer Details (Gewand, Haar, Kreuzesstamm, Hahn) auffällt sowie der derbere, schwerblütigere Körpertypus. – 93 PIERRE PUGET, DER HL. ALEXANDER SAULI. Zwischen 1663 und 68 für die barocke Ausgestaltung der Kuppelvierung von S. Maria di Carignano in Genua gemeißelt. Marmor. Lebensgroß. Eindrucksvolles Beispiel für den Übergang zum Spätbarock. Bei gesteigertem Pathos schärfere Geometrisierung der Komposition, drastischere Hell-dunkeleffekte und Betonung von genrehaften Nebeneffekten. Dies alles ist um so wichtiger, als Puget direkt von Bernini ausging, als er sein Projekt für Genua entwickelte, von dem nur diese Figur und die des hl. Sebastian ver-wirklicht wurden, nicht der Baldachinaltar in-mitten der Kuppelpfeiler. – 94 PEDRO DE MENA, HL. MAGDALENA, über die Passion Christi me-ditierend. 1664. Zedernholz, teilweise bemalt. Höhe 158 cm. Valladolid, Museo Nacional de Escultura. Hervorragendes Beispiel für das Vermögen spanischer Barockskulptur, die naturalistischen, ja, veristischen Züge von Ge-wand- und Figurbildung, die in Spanien hei-misch waren, dem religiösen Inhalt ganz unter-zuordnen. – 95 JÖRG PETEL, TRIUMPH DER VENUS (nach Rubens). Um 1630/31. Zylindri-sches Elfenbein-Hochrelief als Träger eines Salzfasses. Höhe 32 cm. Stockholm, König-liches Schloß. In Petels Elfenbeinplastik er-fährt Rubens' Bildersprache eine adäquate Übersetzung in die Plastik, denn der Grad der figürlichen Lebendigkeit und das Vermögen, im Gedränge optisch klar und ruhig zu bleiben, ist hier stärker ausgeprägt als bei zahllosen großen Bildwerken des Barocks. – 96 BALTHA-SAR PERMOSER, APOTHEOSE DES PRINZEN EUGEN. 1721 vollendet. Marmor. Höhe 230 cm. Wien, Barockmuseum im Belvedereschloß. In der Vereinigung von Historie (Porträt), Mytholo-gie und Allegorie exemplarisch für den Barock, ein plastisches Äquivalent zur gleichzeitigen Deckenmalerei. Der gepanzerte Feldherr steht auf dem Rücken der Figur des Neides, Löwen-fell und Keule, die ein Putto schleppt, weisen ihn als den „neuen Herkules" aus, worin auch eine Anspielung auf ein Emblem der Habsbur-ger liegt. Die Nike, welche die Sonne zeigt und den Mond verbirgt, ehrt Eugen von Savoyen als Sieger, die Figur der Fama zu seinen Füßen verkündet seinen Ruhm mit Posaunenschall. Solche allegorischen Bildwerke, die auch die ludovisianische Hofkunst liebte, bedürfen des „dekorativen Kothurns", der hier allerdings mit mimischen und gestischen Motiven köst-lich angereichert und auch phantasievoll ge-meistert wird.

97 ANDREAS SCHLÜTER, REITERDENKMAL DES GROS-SEN KURFÜRSTEN. 1697–1703. Bronze. Über-lebensgroß. Ursprünglicher Aufstellungsort die Lange Brücke vor dem Schloß zu Berlin, heute Ehrenhof des Charlottenburger Schlosses. Der Marmorsockel und die vier Bronzesklaven nach Entwürfen Schlüters 1704–10. Bestes der erhaltenen öffentlichen Reitermonumente des 17. Jh., „barocker" als die französischen Denk-mäler für Louis XIV., seit 1683, im Gleich-gewicht von Zucht und Kraft, Freiheit und Majestät unerreicht.

98 COSMAS DAMIAN und EGID QUIRIN ASAM, HOCHALTAR DER EHEM. KLOSTERKIRCHE WEL-TENBURG (DONAU). 1721. Farbiger Stuck. Be-rühmtes Beispiel eines Theatrum sacrum im bairischen Barock von besonders glücklicher Wirkung, weil die Figuren des hl. Georg zu Pferd, der hl. Bernhard und Maurus und der Dreifaltigkeit (oben, im Auszug) nicht nur auf die Lichtwirkung, sondern auch auf Form, Farbe und Größe der Innenarchitektur abge-stellt sind und das Ganze deutlich und reich ist, ohne optische Unruhe zu erzeugen. Neben der alpenländischen Überlieferung bühnen-mäßig gestalteter Altäre, die bis in die Spät-gotik reicht und um 1600 kräftig belebt wurde, war Bernini für die Asamaltäre ausschlaggebend (z. B. Kathedra Petri, Abb. 88). Ganz unberni-nesk ist die Auflösung der Figur in Silhouetten-wirkung durch das Licht, das aus unsichtbaren Quellen gespeist wird.

99 HENRI FRANÇOIS VERBRUGGHEN, KANZEL AUS ST. MICHAEL IN LÖWEN. 1699. Seit 1776 in St. Gudule, Brüssel. Die Treppe mit Pflanzen und Tieren 1780 durch Baptist van der Haegen hin-zugefügt. Am Kanzelfuß ist die Vertreibung aus dem Paradies, am Kanzelkorb und Schall-deckel Maria als Überwinderin des Todes dar-gestellt. Frühes und wichtigstes Beispiel der „Naturkanzeln" (K. M. Swoboda) des 18. Jh. in den katholischen Niederlanden, an denen statt allegorischer Figuren biblische Szenen und solche des Heiligenlebens unter starker Ver-wendung landschaftlicher Staffage plastisch dargestellt werden. Damit steigen Gewohnhei-ten aus der Volkskunst (Krippen, Kalvarien-berge, Andachtsbilder) in die offizielle Kirchen-kunst auf und damit auch eine neue Wert-schätzung narrativer Elemente und der Land-schaft, ein Vorgang, der seit 1700 allgemein zu beobachten ist.

△ 83   ▽ 85   △ 84   ▽ 86

△ 89   ▽ 91   △ 90   ▽ 92

△ 93   ▽ 95   △ 94   ▽ 96

eines Augenblicks, sondern als Vergegenwärtigung dessen, was war, ist und sein wird. Das ist geistesverwandt mit dem „Welttheater" Calderons und der Bildwelt Rubens': es ist das magnum opus des römischen Barocks.

Direkt oder indirekt hat Bernini auf alle Bildhauer Roms eingewirkt, auch auf die drei großen: Mocchi, Duquesnoy und Algardi. *Francesco Mocchi* (1580–1654) war schon mit heftig bewegten Statuen, so mit der Verkündigung im Dom zu Orvieto, aufgetreten und hatte mit den beiden Reiterdenkmälern des Ranuccio und Alessandro Farnese in Piacenza bereits malerisch bewegte Beispiele dieses Themas gegeben, bevor er unter Leitung Berninis die Kolossalstatue der hl. Veronika in St. Peter meißelte. Im Vergleich mit Berninis Longinus wirkt ihre atemlose Aufgeregtheit nicht überzeugend, ein Beweis dafür, daß im Barock nicht der Grad an Bewegung und Suggestion entscheidet, sondern die Wahl des Moments einer Darstellung, die bei Mocchi leider zugunsten von interessanten, aber nicht wesentlichen Teilaspekten ausfällt. *François Duquesnoy* (1594–1643) war in dieser Hinsicht viel glücklicher, besonders dann, wenn er sich bei Statuen auf den Ausdruck des Natürlich-Anmutigen beschränkte, wobei ihm wohl auch seine Verehrung Raffaels zugute kam (*Hl. Susanna*, Abb. 91). Seit etwa 1619 hielt er sich in Rom auf, wo er gemeinsam mit Poussin Tizians Bacchanalien, die sich damals in der römischen Villa Ludovisi befanden, studierte. Ein Ergebnis davon sind die Putten und Genien, die er auf Grabmälern (in S. Maria dell' Anima), auf Reliefs und in Elfenbeinbildwerken zum Entzücken römischer und nordischer Mäzene variierte. Auch meißelte er für St. Peter die Kolossalfigur des hl. Andreas – von Rubens in einem verschollenen Brief aufs höchste gelobt –, deren Erfindung allerdings neuere Forschungen Bernini zusprechen. Härter, einer ciceronianischen Latinität zugewandt, zeigen sich die Werke des Bolognesen *Alessandro Algardi* (1598–1654). Er soll sich an Lodovico Carracci und den Venezianern gebildet haben, bevor er um 1625 nach Rom kam, wo er besonders vom Pamphilipapst Innozenz X. begünstigt und Bernini vorgezogen wurde. Trotzdem löste er sich innerlich nie ganz von Bernini, besonders nicht in seinen Statuen. Im Relief, wo Bernini niemals Ambitionen zeigte, gelang Algardi Bedeutendes (Attila vor Papst Leo d. Gr., Peterskirche), und als Porträtist wurde er Bernini oft gleichgeachtet, was Büsten in Berlin (*Kardinal Zacchia*, Abb. 84), Mailand (Museo Poldi-Pezzoli) und Rom (San Marcello, Frangipanibüste, S. Maria della Scala, Pr. Santacroce) auch heute verstehen lassen. *Ercole Ferratas* (1610–86) Bedeutung beruhte im Unterschied zu Mocchi, Duquesnoy und Algardi im Effekt seiner großen Werkstatt, die sich neben Bernini hielt und in Anlehnung an Figuren- und Kompositionsformeln des Malers Cortona, wie die Ausstattung von S. Agnese in Piazza Navona zeigt. Auch war Ferrata ein tüchtiger Lehrer. *Melchiore Caffà* (Hl. Katharina, Relief in S. Caterina da Siena) und *Camillo Rusconi* (1658–1728), der bedeutendste Bildhauer des beginnenden Spätbarocks in Rom (Apostel in S. Giovanni in Laterano), zählten zu seinen Schülern. Was aus *Berninis* großer *Werkstatt* hervorging, trug den Stempel seiner Kunst so deutlich, daß die Selbständigkeit der Mitarbeiter zwangsläufig in den Hintergrund treten mußte. Wer weiß schon, daß am Vierströmebrunnen Berninis F. Baratta die Figur des Rio della Plata, Claude Poussin die des Ganges, A. Raggi, der auch an den Stukkaturen des Langhausgewölbes vom Gesù mitarbeitete (Abb. 119), die Donau oder Mari später die Kolossalgestalt des *Moro* (Abb. 87)

◁ 99

93

gemeißelt hat? Viel wichtiger als die ständigen Mitarbeiter bei Bernini wurden die ausländischen Gäste und Studenten, die von Berninis Gesamtwerk einen tiefen Eindruck empfingen, ohne als Spezialisten für ihn tätig zu sein. *Giovanni Battista Foggini* (1652–1723, vor 1676 in Rom), *Filippo Parodi* (1630–1702, vor 1661 in Rom) und *Pierre Puget* (1620–97, *Hl. Alexander Sauli* in Genua, Abb. 93). Es sind die Herolde des Berninesken in Florenz und in Genua, zugleich aber auch Umgestalter des römischen Hochbarocks in die kunstlandschaftliche Eigenart des Spätbarocks.

Nördlich der Alpen blieb das Echo der italienischen Barockplastik uneinheitlich und selbst in den katholischen Gegenden wegen des Großen Krieges episodisch (Barockausstattung

100–103 BEISPIELE DEKORATIVER SKULPTUR 1690 bis 1750. 100 BERLIN, ZEUGHAUS, FIGÜRLICHER KEILSTEIN der Erdgeschoßblendarkaden. 1695 nach A. Schlüters Entwurf. Sandstein. – 101 PARISER PRUNKKAROSSE (Detail) aus dem Atelier Milons. Um 1740. Vergoldete Holzschnitzerei. München-Nymphenburg, Marstallmuseum. – 102 REGENSBURG, St. EMMERAM, LANGHAUSKAPITELL VON EGID QUIRIN ASAM. Um 1732. Farbiger Stuck, teilvergoldet. – 103 WALLFAHRTSKIRCHE BIRNAU (BODENSEE), sog. HONIGSCHLECKER in der Rahmung eines Seitenaltars von J. A. Feuchtmayer. 1749. Farbiger Stuck.

104 IGNAZ GÜNTHER, SCHUTZENGELGRUPPE. 1763. Holz, polychrom gefaßt. Höhe 177 cm. München, Bürgersaal. Schönes Beispiel für das Fortleben barocker Figurenbildung über die Stilphase des Rokokos hinaus und zugleich Beweis für die selbständige Entwicklung alpenländischer Schnitzkunst. Bemerkenswert auch durch die thematisch motivierte Kontrastierung vornehm-höfischen und kindlich-volkstümlichen Verhaltens. Der Anteil ornamentaler Schönheit an der Gesamtwirkung ist groß.

105 JOSEF ANTON FEUCHTMAYER, MUTTERGOTTES. Um 1750. Lindenholz, polychrom gefaßt. Höhe 162 cm. Berlin-Dahlem, Skulpturensammlung. Die Gebärde der Linken deutet wohl auf die Worte des Evangelisten Lukas hin: „Selig der Leib, der dich getragen, und die Brust, die dich genährt hat" (11, 27/28). Vielleicht gehörte die Figur zu einer Gruppe mit dem hl. Bernhard (sog. Lactantio Scti. Bernardi). Typus, Haltung, Frisur und Kleidung orientieren sich an höfischem Ideal. Stärker als bei I. Günther (104) drängen sich manieristi-

sche Kompositionsmotive auf, die im 18. Jh. in der süddeutschen Plastik vielfach auflebten.

106 FRANÇOIS GIRARDON, GRABMAL DES KARDINALS RICHELIEU. 1694 vollendet. Marmor. Lebensgroß. Paris, Kirche der Sorbonne. Richelieu (gest. 1642) ist nach seinem eigenen Wunsch im Moment der „Herzaufopferung" an Gott dargestellt, die allegorische Figur der Pietas stützt ihn, diejenige der Doctrina wendet sich trauernd zur Seite. Das Motiv des Ruhms fehlt hier, wird aber durch die Inszenierung, die an das „lever du roi" erinnert, sublim umschrieben. Vornehme Zurückhaltung und stoisch-lateinische Gesinnung herrschen. Anstelle des dramatischen Nebeneinanders von unwillkürlicher Klage und machtvoller Herrlichkeit bei Berninis Papstgrabmälern ist Prunk, ritterlicher Anstand und großmütige Distanziertheit getreten, Wesenszüge des Spätbarocks unter Ludwig XIV., die meist unter dem Namen des „Klassizismus" mißverstanden werden.

107 BEKRÖNUNG DES BLEISARKOPHAGS FÜR KAISER KARL VI. 1753 von Balthasar Moll vollendet. Wien, Kapuzinergruft. Ein Putto zeigt das Medaillonporträt des Kaisers, Stern und Schlange darüber erinnern an die Ewigkeit, die allegorische Figur der Austria wendet sich in Trauer zur Seite. Diese Komposition, die Bildgedanken Berninis verpflichtet ist, hatten schon 1742 N. Moll und Josef Pichler erfunden; sie vertritt zugleich die Wiener Bleiplastik des Spätbarocks, deren bedeutendster Meister Raphael Donner gewesen ist. Seiner Anregung verdanken die Bleiplastiken der Särge in der Wiener Kapuzinergruft künstlerisch und technisch sehr viel.

△ 100   ▽ 102   △ 101   ▽ 103

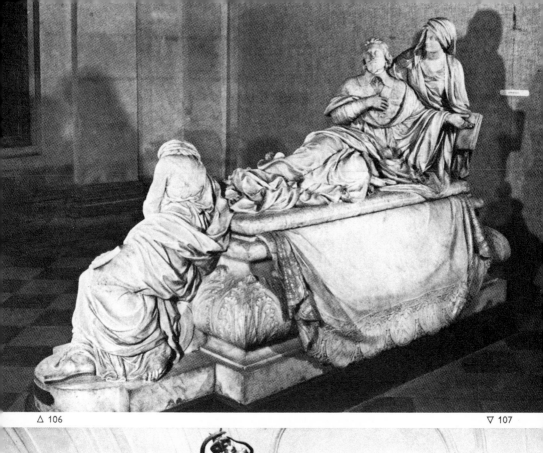

des Bamberger Doms, um 1650, Residenzplatzbrunnen in Salzburg, 1656–62). Nur die *Barockbüste* römischer Prägung, deren Export Bernini durch eigene Werke nach London (Karl I., 1638) und Paris (Kardinal Richelieu, 1640) förderte, eroberte sich rasch Europa, wobei freilich die Nachahmung je nach lokalen Bedingungen und besonderer Porträttradition verschieden ausfiel (Abb. 86). Hinzu kam die *Bildnismedaille*, die billigste Form einer „ehernen" Verherrlichung europäischer Fürstlichkeit, die besonders seit der Gründung der Pariser Academie des Medailles, 1668, in Umlauf kam und barocke Züge und Bildgedanken verbreiten half. Auch *Goldschmiedeplastik* und *Elfenbeinschnitzereien*, von denen in den Schriften der Zeit öfters die Rede ist als in der modernen Kunstgeschichte, wirkten in diesem Sinn und sind bisweilen vollgültigere Zeugnisse einer hochbarocken Gestaltung als gleichzeitige Bildwerke in Lebensgröße (Abb. 95, 96). Barockbildhauer von Rang aber waren bis 1690 nördlich der Alpen isolierte Erscheinungen, und nur einer von ihnen, *Artus Quellin* (1609–68) aus Antwerpen, wurde durch besonders günstige lokale Umstände schulbildend (Abb. 92). Zu diesen Umständen gehörte ein großer Auftrag, nämlich die Ausgestaltung des neuen Amsterdamer Rathauses mit Skulpturen (Abb. 78, 79), und die anregende Wirkung Rubens'. Der ältere Quellin und der geniale Einzelgänger *Jörg Petel* (1601/2–34) aus Weilheim (Abb. 95) beweisen die doppelte Wurzel des europäischen Barocks auch in der Geschichte der Plastik.

Um 1690 treten in Deutschland zwei geborene Bildhauer mitten in der fürstlichen, schon vom Pariser Geschmack regierten Welt des „Spätbarocks" auf und begründen eine Renaissance der Barockskulptur nördlich der Alpen: *Permoser* und *Schlüter*. *Balthasar Permoser* (1651–1732) stammte aus Salzburg, hielt sich 1675–89 in Italien auf und ging von Wien als Bildhauer an den kursächsischen Hof nach Dresden. Er ist der umfassendere, beweglichere von beiden Meistern. Vom Kabinettstück aus Elfenbein, über kirchliche (Bautzen, Kirchenväter) und profane Statuen in Marmor und Holz bis zur szenisch komponierten Bauplastik des *Dresdener Zwingers* (Abb. 42) beherrscht er die barocken Register der Figurenbildung, er kann sowohl herrisch als auch lieblich auftreten und besitzt einen kräftigen Humor, der selbst den allegorischen Konzepten frisches Leben einhaucht (Abb. 96). Verwandtschaft mit böhmischer Barockplastik, besonders mit *M. Braun* (Kukus, Figuren der Seligkeiten, der Tugenden und Laster, 1709–19), wurde festgestellt; Werke in Berlin (Atlanten vom ehem. Schloß) und Salzburg sind bekannt. Er war Lehrer von *Paul Egell*, der seit 1721 in Mannheim wirkte. Noch in den Werken von *Ignaz Günther*, dem Hauptmeister der bayrischen Plastik des 18. Jh., der 1775 starb, wirkt die belebende und stilbildende Kraft Permosers nach, obwohl Günther, der bei Egell und in Wien studierte, sich dem höfischen Geschmack des Rokokos nicht verschloß (Abb. 104). *Andreas Schlüter* (1664–1714), der bis 1694 in Polen tätig war, bevor er Hofbildhauer und Schloßbaudirektor in Berlin wurde (Abb. 100, 101), ist stets von tiefem Ernst und voll dramatischer Einfälle, besitzt eine mächtige plastische Phantasie, die sich an italienischen (Bernini, Michelangelo) und französischen Erfahrungen geschult hatte, aber von ganz persönlicher Eigenart ist. Dabei bemerkt man immer wieder etwas Hartes, Kantiges, das bisweilen prachtvoll mit fein durchgezeichneten Oberflächenornamenten zusammengehen kann, so beim *Reiterdenkmal des Großen Kurfürsten* in Berlin (Abb. 97), dem einzigen überragenden Werk dieser Art nördlich der Alpen.

Der kunstgeschichtliche Begriff einer europäischen Barockmalerei steht und fällt mit *Peter Paul Rubens* (1577–1640). Man kann lange darüber streiten, ob *Rembrandt* oder *Poussin* ein Barockmaler war, bei Rubens hat dieser Streit ein Ende. Die Lebensgeschichte seiner Kunst ist die komprimierte Stilgeschichte der Barockmalerei.

Vor 1600 hat der aus vornehmem Haus Gebürtige nach einer sorgfältigen Erziehung die „romanistische" Spielart des Manierismus in Antwerpen, besonders bei *Otto van Veen*, einem gebildeten und auch hochstrebenden Maler, studiert und in sich aufgenommen, einschließlich der üblichen Beschäftigung mit Stichen nach der Antike und mit Dürer. 1600–08 war *Rubens* in Italien nicht nur Lernender bei den großen Malern des Cinquecento, vor Michelangelo und den antiken Bildwerken, die er sich nachzeichnend anzueignen suchte, sondern auch Mitstreiter in dem Kampf gegen den Manierismus. Der Gonzaga-Altar, drei riesige Gemälde für die Mantuaner Jesuitenkirche, 1605, das Hochaltarwerk für S. Maria in Vallicella, 1606–08, mythologische Gemälde (Hero und Leander, Yale University; Abschied des Adonis, Düsseldorf) und eine Reihe von Bildnissen, unter denen die in Genua entstandenen die dortige Porträtmalerei nachhaltig beeinflußten, dokumentieren den persönlichen Beitrag von *Rubens* in Italien zum Reinigungsprozeß des Anti-Manierismus. In Antwerpen, wo *Rubens* eine Werkstatt gründete, die nach kurzer Zeit zu einem wohlfundierten Instrument in den Händen des Meisters und eine Lehrstätte geworden war, aus der *Anton van Dyck* hervorging, folgt 1610–20 die eigentliche stilbildende Phase. *Michelangelo* und die Antike treten in den Vordergrund; *Rubens* schafft die Synthese, die in Rom um 1600 durch die Gegensätze von *Annibale Carracci* und *Caravaggio* herausgefordert worden war. Er befreit die Figur aus der manieristischen Festlegung auf den Kontur, gibt ihr volles Gewicht und Gegenwärtigkeit und eine innere und äußere Bewegungsfreiheit. Mit der „Kreuzaufrichtung" und der „Kreuzabnahme" (heute in der Kathedrale von Antwerpen) wird diese epochemachende Errungenschaft mächtig bezeugt und zugleich die große Form des *Barockaltars* geschaffen, der von nun an in der Rubenswerkstatt aufgrund sorgfältiger Vorbereitung (Zeichnungen und Ölskizzen) ausgeführt wird (Jüngstes Gericht für Neuburg an der Donau, heute in München; Altäre für Genua, für die Antwerpener Jesuitenkirche, heute in Wien). Der mythologische Themenkreis wird aufgegriffen (Abb. 148, 151, 152). Mit den Bildern der Geschichte des Decius Mus (heute in Vaduz) gelingt der erste Zyklus als vielfältige Variation eines Inbegriffs: Rom. *Rubens* arbeitet auch mit Antwerpener Fachkollegen zusammen, so mit Jan dem Älteren *Bruegel* (1568–1625; Blumenkranzmadonna in München), und verstreut fruchtbare Anregungen für die in den Niederlanden blühende *Fachmalerei*. Die Figurenerfindung wird endgültig mit der koloristischen Bilderscheinung übereingestimmt (Amazonenschlacht in München) und damit der Grund gelegt für die hochbarocke Phase 1620–30. Jetzt schafft *Rubens* die Synthese von Bilderzählung (Mythologie, Geschichte) und Begriffsbild (*Allegorie*, Abb. 149). Die 21 großen, heute im Louvre befindlichen Gemälde des *Medicizyklus* 1622–25 sind dasjenige Werk, das diese Synthese umfassend zeigt und dem Barockstil zur europäischen Anerkennung und nie ganz verdunkeltem Ruhm verholfen hat. Die Produktion der *Rubenswerkstatt* nimmt gewaltig zu, oft in Abwesenheit des Meisters, der um den Frieden in Spanien, Frankreich und England als Vertrauter der Regentin wirbt und in Madrid 1629/30 Tizian von neuem für sich entdeckt. Und während sich die Barockmalerei immer weiter verbreitet und *Rembrandt* sich mit dem Oranierzyklus in der Auseinandersetzung mit *Rubens* klärt, wendet sich dieser selbst seit 1630 neuen Bereichen und Themen zu. Das ist der späte *Rubens* der dreißiger Jahre; souverän, Welt und Menschen über- und durchschauend, aber niemals moralisierend oder resignierend, sondern volltönend in der Malerei, unerschöpflich in der Phantasie und homerisch weise in seinen Themen. Jetzt entstehen die Bilddichtungen des Friedens (London), des Krieges (Florenz) und der Wiener *Ildefonsoaltar* (Abb. 150), ein ganz persönliches Werk, Denkmal des Dankes an die so verehrte Regentin Isabella. Das Zwiegespräch mit *Tizian* setzt ein. Es entstehen *Landschaften*, in denen ein „Rest nordischer Traumfähigkeit" (J. Burckhardt) sich mit einem ganz unnordischen, antikischen Freiheitsgefühl verbindet (Abb. 151, 152). Mühelos werden die Grenzen überschritten, die *Rubens* selbst gesetzt hat, das Allgemeine des Stils geht auf in Gemälden, in denen das Beste des 18. Jahrhunderts mitenthalten ist und die doch weit darüber hinausgehen: die Schlußfassung des Wiener Venusfestes, der Madrider Bauerntanz und Liebesgarten.

Was Barockstil ist, läßt sich am besten an Bildern von *Rubens* zeigen. Dafür nur ein Beispiel: der 1617 vollendete *Raub der Töchter des Leukippos* (Abb. 148). Die richtige Bestimmung des Themas verdanken wir Wilhelm Heinse. Dargestellt ist die Entführung von Phoibe und Hilaira, der Töchter des Leukippos, die von ihrem Vater bereits verlobt waren, durch die Dioskuren Kastor und Pollux. Die Alten sahen in dem Raub ein Sakrileg, das den Räubern auch das Leben kostete, billigten ihnen aber doch wegen anderer heroischer Taten die Versetzung als Sternbilder an den Himmel zu. Heinse, der seine antiken Autoren gut kannte, aber auch mit Sympathie und genau hinzusehen verstand, sprach von einem „Kampf zwischen Moral und Natur". In diesem Bild ist alles Paar: die Rosse, die Männer, die Eroten, die Mädchen, Erde und Himmel. Die Paare gruppieren sich jedoch immer in zweierlei Art und Sinn, was am besten zu erkennen ist, wenn man von den beiden nackten Frauenleibern ausgeht, die das leuchtende Zentrum des Bildes bilden. Beide werden gleichsam als e i n Leib aufgefaßt, von dem wir zwei einander ergänzende Ansichten erhalten (ein „concetto" *Tizians*), es sind Schwestern. Ohnmächtig wehren sie sich, sie rufen die Götter. Zugleich aber zeigt *Rubens* sie uns auch voneinander getrennt und mit den beiden Männern als Mann und Frau, zwischen denen die Begierde noch trennt, die Liebe aber schon bindet. Unvergeßlich ist ja der Blick des berittenen Kastor, der sich niederbeugt, um Phoibe aufzunehmen. Dargestellt ist der Moment des Übergangs vom „Kampf zwischen Moral und Natur" zu dem „hochzeitlichen Einklang zwischen Frau und Mann" (H. G. Evers 1945). Eben wegen dieser Auffassung ist der Moment „prägnant", er besitzt Dauer. *Rubens* erreichte diese Wirkung durch die Figurenerfindung. Die acht Lebewesen bilden eine Konfiguration, unüberschnitten vom Rand des quadratischen Bildfeldes und verankert am unteren Bildrand, dort nämlich, wo sich genau in der Mitte die Füße des Mädchens und des Mannes beziehungsvoll berühren. Diese Konfiguration ist trotz der heftigen inneren und äußeren Bewegungen völlig ruhig und keineswegs flach. Sie enthält zwei Blickbahnen, eine frontale, die mit der Silhouette des Apfelschimmels schließt, und eine dazu schräge mit

Kastor als Abschluß. Beide sind Bestandteile der Bilderzählung. Das wird noch klarer, wenn man die Übereinstimmung mit dem Kolorit beachtet. Es spannt sich aus zwischen den Polen Blau und Rot. Die unbunten Farben Braun und Grau haben die Aufgabe, den konstitutiven Buntfarbenkontrast Rot-Blau dem ganzen Bild, jedoch in vielen Verwandlungen mitzuteilen. Gelb fehlt in reiner Sättigung gänzlich, wird aber ersetzt durch einen goldigen Glanz. An zwei Stellen tritt die Farbrechnung thematisch ganz klar auf, nämlich in den Leibern der Frauen, deren Inkarnat alle Farben, jedoch mit der Dominanz des Lich-

108 CARAVAGGIO, BACCHUS. Um 1595. Florenz, Uffizien. Die bildbeherrschende Halbfigur, aufgeputzt und mit stillebenhaften Beigaben, wurde durch Caravaggio ein beliebtes Kompositionsrezept für biblische und mythische Historien oder für allegorisch eingekleidete Genrebilder, hauptsächlich in den Niederlanden, aber auch in Deutschland (Sandrart) und Frankreich (Abb. 160). So ließ sich die suggestive Bildwirkung steigern; nicht von ungefähr kam das Halbfigurenbild ja aus dem Porträtfach her.

109 CARAVAGGIO, GRABLEGUNG CHRISTI. 1603 für die römische Oratorianerkirche gemalt. Rom, Vatikanische Pinakothek. In den reifen Werken Caravaggios fällt neben dem sprichwörtlich gewordenen Dunkelgrund der Gegensatz von einfachem Menschentypus und kunstvoller Gruppierung auf sowie die Schönfarbigkeit, die solchen Reiz noch steigert. Zu leicht übersieht man an seinen Altarbildern die religiöse, meist seit langem vorgeprägte Symbolik. Auf unserem Bilde wird sie durch den Gestus der Hand Christi angezeigt, der mit den Schwurfingern den „Salbstein" berührt, ein Zeichen für die durch die Passion bekräftigte eucharistische Feier der Gemeinschaft der Gläubigen, das lange vor Caravaggio bereits in der christlichen Ikonographie eingeführt war.

110 GUIDO RENI, ASSUNTA. 1617 vollendet. Genua, S. Ambrogio. Diese Himmelfahrt der Maria malte der gefeierte Meister der bolognesischen Schule nach seinem dritten Romaufenthalt. Im Gegensatz zu den starkbewegten Kompositionen Annibale Carraccis bestimmt sanftes Emporschweben das Bild.

111 DOMENICHINO, DIANA UND IHR GEFOLGE BEIM BOGENSCHIESSEN. 1617 vollendet. Rom, Galleria Borghese.

112 GIOVANNI LANFRANCO, ROGER UND ANGELICA (nach Ariost). Um 1604. Rom, Privatbesitz.

113 ANNIBALE CARRACCI, DAS GEFOLGE DES BACCHUS. Ausschnitt aus dem Triumph des Bacchus. Mittleres Gewölbefresko der Galleria Farnese in Rom. 1604 vollendet. Die Fresken an dem etwa 20 m langen, im Querschnitt halbkreisförmigen Tonnengewölbe der Farnesegalerie bestehen aus goldgerahmten großen Bildfeldern, aus steingrau gemalten Karyatiden, die sie flankieren, aus Medaillons mit Szenen aus Ovids Metamorphosen und aus Durchblicken in den blauen Himmel. Alle diese Teile sind nun durch Richtungs-, Größen- und Charakterkontrast zu einem reichen, strahlenden, vielfältigen Kranz um das große Mittelbildfeld, aus dem unser Ausschnitt stammt, angeordnet, in dem das Thema des Ganzen brausend aufklingt: die Hochzeit, die Göttliches und Irdisches zusammenführt und die Kraft der Liebe verherrlicht.

114 ANNIBALE CARRACCI, SITZENDER MANN MIT KIND. Zeichnung. Paris, Louvre. Die Entwicklung der bewegungs- und empfindungsmäßig freien Akt- und Gewandfigur, für die sich viele Zeichnungen in schwarzer Kreide und Weißhöhung erhalten haben, stellt Carracci als Figurenerfinder ein glänzendes, auf Rubens verweisendes Zeugnis aus.

115 BERNARDO STROZZI, DER HL. LAURENTIUS VERSCHENKT DAS KIRCHENSILBER AN DIE ARMEN. 1636. Venedig, S. Niccolo da Tolentino.

116 JAN LISS, VERZÜCKUNG DES HL. PAULUS. Spätwerk. Berlin, Staatliche Museen, Gemäldegalerie. Der 1597 in Oldenburg (Holstein) geborene Maler lebte seit etwa 1621 in Venedig, wo er auf die Malerei des 17. Jh. einen bedeutenden Einfluß gewann, obwohl er bereits 1629/30 der Pest zum Opfer fiel.

108 ▷
109 ▷
110 ▷

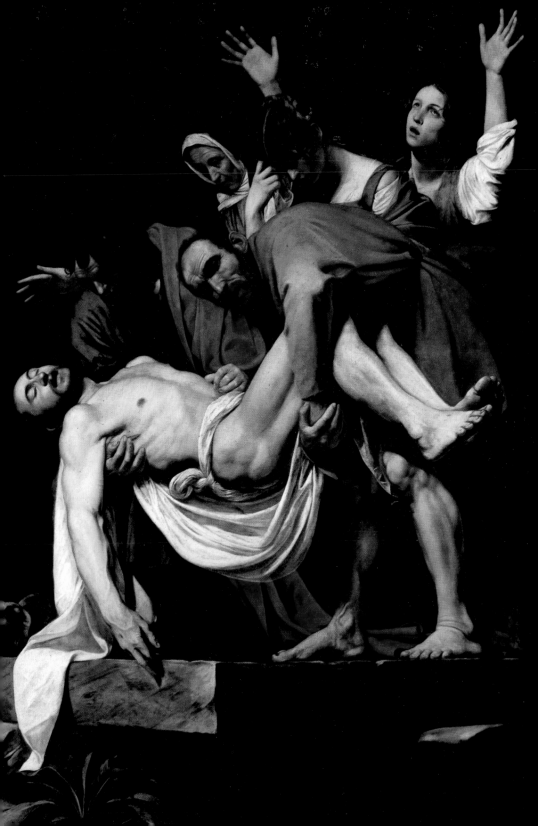

△ 111

▽ 112 113 ▷

tes enthält, und oben links, wo der rote Reitermantel unvermittelt vor dem Blau des Himmels steht als schärfster Buntfarbenkontrast ohne Übergang. Alles aber, Konfiguration, Kolorit und Thema zeigen sich völlig ausgewogen, vermitteln den Eindruck einer absoluten geistigen Symmetrie. Das ist es, was J. Burckhardt mit dem schon erwähnten Begriff der Beherrschung der Äquivalentien bei *Rubens* gemeint hat. Es ist dies zugleich der höchste Wert der Barockmalerei, gleichsam die „Idee" des Stils.

Die *italienische Malerei des 17. Jahrhunderts* gliedert sich wie im Cinquecento in „Schulen", aber mit anderen Dominanten und Zielsetzungen. Anstelle von Venedig tritt jetzt *Rom* die Vorherrschaft an, wo sich seit 1600 der Barockstil aus dem polaren Gegensatz heraus bildet, zu dem sich die Bestrebungen der Anti-Manieristen, die im Ziel zwar einig, in der Methode aber zerstritten waren, kristallisierten. In der Sprache der Kunstliteratur von Gianpietro Bellori bis J. J. Winckelmann hießen die einen „Eklektiker", die anderen „Naturalisten". Diesen warf man bloße, geistlose Nachahmung der Natur vor, während man die hohe, ideale Note der anderen und ihren synthetischen Stil wohl sah und anerkannte, ihn aber auf eine mechanische „Misch"-Methode der Auswahl zurückführte. Die „Naturalisten", die in Rom stets in der Minorität blieben, bevorzugten gewöhnlich Modelle, einfache Themen, pflegten eine „ars humilis", die dem Geist Filippo Neris und seiner Oratorianer entsprach. Die anderen, die „Eklektiker", griffen die großen Themen der klassischen Kunst der Antike und der Hochrenaissance auf, erneuerten die nackte Figur als Symbol göttlicher Freiheit und mußten deshalb eine umfassende, der Überlieferung gegenüber wertende, also auswählende Methode entwickeln. Das Haupt der „Naturalisten" war Michelangelo Merisi, nach seinem oberitalienischen Geburtsort *Caravaggio* (1573–1610) genannt. Nach einer Lehrzeit in Mailand kam er um 1596 nach Rom, trat betont unkonventionell und aggressiv auf und erweckte Interesse zunächst mit Genrebildern (Konzert, New York, Metropolitan Mus.), Stilleben (Mailand, Ambrosiana) und durch die schockierende suggestive Einkleidung seiner Themen (*Bacchus*, Abb. 108; Amor Victor in Berlin). Auch er griff dabei, wie schon seine Zeitgenossen erkannten, auf Vorbilder der Hochrenaissance zurück (*Giorgone, Leonardo*), begnügte sich also keineswegs mit bloßem Abmalen von Modellen. Schon um 1600 erreichte er den Anschluß an die monumentale Gesinnung der römischen Kunst. Das beweisen die Altarbilder der Kapellen Contarelli in S. Luigi degli Francesi (Berufung des hl. Matthäus) und Cerasi in S. Maria del Popolo (Bekehrung Pauli). Die Figur zeigt sich nahe und mit vollem Gewicht des Leibes, Dunkelheit, ja Finsternis herrscht im Bilde, aus der das Licht suggestiv die Gestalten hervorholt, die in sich gekehrt, von ihrem Tun und Empfinden gefangen, in lapidaren, sehr kunstvoll gefügten Konfigurationen gruppiert werden. Wenige, aber leuchtend schöne Buntfarbenakzente schmücken das Bild (*Grablegung Christi*, Abb. 109).

Der Einfluß *Caravaggios* war außerordentlich, obwohl der Maler, von dem kein Fresko bekannt ist, keine Schüler hatte. Die Nordländer *(Gerard Honthorst, Pieter Lastman)* empfanden das Unmittelbare, Suggestive seiner Licht- und Figurenbildung und die sentimentalische Thematik als wesensverwandt *(Rembrandt)*. Ähnlich reagierten die spanischen Maler, in deren Heimat sich verwandte Tendenzen spontan gezeigt hatten. *Jusepe de Ribera* (1591–1652), der in *Neapel* ansässig wurde, schuf aus Eigenem und aus den Anregungen

◁ 116

Caravaggios das Fundament, auf dem die napolitanische Schule bis zu *Luca Giordano* und *Solimena* ihren „naturalistischen" Grundzug ausgestaltete. *Caravaggio* hat auch Römer (*Orazio Borgianni*, gest. 1616), Venezianer (*Carlo Saraceni*, gest. 1620) und Toskaner (*Orazio Gentileschi*) angeregt. *Adam Elsheimer* (1578–1610), der das letzte Jahrzehnt seines Lebens in Rom verbrachte, sich ganz selbständig gegenüber *Caravaggio* und der antikischen Tradition (Philemon und Baucis, Dresden) verhielt, gebührt das Verdienst, neben *Caravaggio* und neben den „Eklektikern" in Bildern oft allerkleinsten Formats Historie und Landschaft zu Werken von großer Innigkeit und hohem poetischem Reiz vereinigt zu haben. Seine „Nachtstücke" (*Flucht nach Ägypten*, Abb. 128) dürfen auch als Beweis dafür gelten, daß die frühbarocke Lichtgestaltung in der römischen Malerei nicht ausschließlich ein Verdienst des *Caravaggio* gewesen ist.

Annibale Carracci (1560–1609), der Gegenspieler des Lombarden und das Haupt der „Eklektiker", die besser als „Renaissancisten" benannt werden, stammt aus *Bologna*. Dort nahm er mit seinen Vettern *Agostino* und *Lodovico* (gest. 1619) an der Gründung einer Künstlergruppe teil, die unter dem Namen einer *Accademia degli Incamminati* die Reform der Malkunst herbeiführen wollte. Annibale, eine ganz ursprüngliche malerische Begabung, begeisterte sich an den Venezianern und an *Correggio*. Tiefe Empfindung und schmelzende Farbigkeit – das waren die Werte dieser Zeit. In Rom jedoch, wohin Annibale wegen der Ausmalung der Galleria Farnese gerufen wurde, verwandelte sich der lyrische Saulus in einen hochdramatischen Paulus. Bei ihm sind Schönheit und Kraft einig, das dekorative Empfinden und die großzügige, ausdrucksvolle und bewegungsmächtige Figurenerfindung gehen zusammen, das Kolorit hat Glanz, Geschmeidigkeit und Nachdruck. Es ist, als ob Raffael in eine urwüchsige Naturkraft verwandelt und *Michelangelo* aus dem Bann lastender Einsamkeit befreit worden wären. Das gilt nicht nur für die Farnesegalerie, sondern auch für große Altargemälde, packende Porträts, für mythologische Darstellungen (*Triumphzug des Bacchus*, Abb. 113; *Sitzender Mann mit Kind*, Abb. 114) sowie für eine besondere Form des Landschaftsbildes, die man wegen der Klarheit des fast architektonischen Aufbaus und wegen des hohen pathetischen Stimmungsgehalts die „heroische" nennt (Galleria Doria in Rom, Berlin, Louvre). Annibales Erbe wurde verschieden verwaltet. Domenico Zampieri, gen. *Domenichino* (1581–1641), der Lieblingsschüler Annibales, war ein Mann von feiner Bildung des Geistes und des Herzens, der die heroische Landschaft und die Historie seines Meisters vertiefte und sehr persönlich ausgestaltete (*Diana und ihr Gefolge*, Abb. 111). Etwas

117–120 Deckenbild und Gewölbedekoration im römischen Barock. 117 Pietro Berettini, gen. Da Cortona, Allegorie des Pontifikats Urbans VIII. 1633–39. Gewölbefresko über dem 14×25 m weiten Salone im Palazzo Barberini in Rom. – 118 Pietro Da Cortona, Ercole Ferrata und Cosimo Fancelli. Fresken und Stuckdekoration der Kuppel (1647–51) und der Apsis (1655bis 60) von S. Maria in Val- licella in Rom. – 119 Giovanni Battista Gaulli, gen. Baciccio, Verherrlichung des Namens Jesu. Gewölbefresko inmitten der vergoldeten und weißen Stuckdekoration von Raggi und Reti am Langhausgewölbe des Gesù in Rom. 1676–79. – 120 Andrea Pozzo, Ausbreitung des Glaubens durch den Jesuitenorden. Gewölbefresko im 17×36 m weiten Langhaus von S. Ignazio in Rom. 1694. ┆117 ▷

Edles und Energisches geht von seinen Bildern aus, auch von den monumentalen Fresken, z. B. im Chor von S. Andrea della Valle in Rom, wo *Domenichino* dem gleichen Thema, der Berufung des Menschen durch Gott, das *Caravaggio* so suggestiv veräußerlichte, eine männlich klare, innerliche Form gegeben hat. Anders verhält es sich mit *Giovanni Lanfranco* (1582–1647), der aus dem Heimatland *Correggios* kommend, zu dem römischen *Carracci-Kreis* stieß, ihm aber nur lose assoziiert blieb und sich in merkwürdigen Winkelzügen entwickelte. Grundzug ist eine sinnenfrohe, lichtvolle Malerei (*Roger und Angelica*, Abb. 112), die gelegentlich an Rubens erinnern kann und die Lanfranco im zweiten Jahrzehnt so weit klärte, daß sie auch den monumentalen Aufgaben des 1621 begonnenen Kuppelfreskos von S. Andrea della Valle gewachsen war.

Die großdekorative Malerei beherrschte den römischen Hochbarock. Ihr Wortführer war der Toskaner Pietro Berettini, nach seinem Geburtsort *Cortona* genannt (1596–1669), ein Generationsgenosse *Berninis* und *Borrominis*, auch als Architekt (Abb. 20, 21) von großer Bedeutung, der durch sein dekoratives Talent der geborene Freskomaler war. Sein *Gewölbefresko im großen Saal des Barberinipalastes*, 1633–39 (Abb. 117), ist die „Stiftungsurkunde" (M. Dvorak) der hochbarocken Deckenmalerei Europas. Dargestellt ist der Ruhm des Hauses Barberini, und zwar als Geschenk der göttlichen Vorsehung, die als allegorische Figur den Zenit der reichen Konfiguration bildet. Das Ganze gliedert sich in vielen Bildinseln aus und bildet ruhige Form- und Farbmassen. Zusammengefaßt sind nach einem gedankenreichen Programm von P. Bracciolini, dem Hauspoeten der Barberini, alle hohen und niedrigen Bildgattungen, die Historie, die Landschaft, das Stilleben, Mythos und Allegorie. – Auch im Kirchenraum gibt es einen großzügigen, dekorativen und figürlichen Zusammenklang, an dem die Stukkaturen teilnehmen, seitdem *Cortona* 1647–65 Chor, Kuppel und Langhausgewölbe von S. Maria in Vallicella ausgemalt hat (Abb. 118). In der Figurenbildung bleibt *Pietro da Cortona* linienschön und von betontem klassischem Decorum und sorgt dafür, daß der Körper, nicht das Licht dominiert. Erst unter dem Einfluß von *Bernini* wird auch im römischen Deckenfresko das Licht die oberste geistige und formale Wirkkraft. Dies ist der Ruhm des *Gewölbefreskos im Langhaus des Gesù* (Abb. 119) von Giovanni Battista Gaulli, gen. *Baciccio* (1639–1709). Er kam aus Genua um 1653 nach Rom und war gut für eine Lichtmalerei gerüstet. Aber ohne das begeisternde Vorbild *Berninis*, z. B. der *Kathedra Petri* (Abb. 88), wäre das Gesùfresko nicht so ausgefallen. Es handelt sich bei dem Eindruck, den man in der römischen Jesuitenkirche im Aufblick zur Decke erhält, auch nicht bloß um das gemalte Bild, sondern um die gesamte Gewölbedekoration. Die Malerei ist thematisch nicht vollständig. Gefordert war vom Programm, das aus Paulus' Philipperbrief 2, 10–11 geschöpft wurde, die Anwesenheit der Vertreter der Erdteile und Nationen. Diese sind aber nicht vom Maler gemalt, sondern von den Bildhauern *Raggi* und *Reti* modelliert worden. Sie finden sich nämlich in Gestalt der weißen Stuckfiguren in den Fensternischen des Gewölbes. Auch ist zu beachten, daß der Lichtraum der Malerei sich anders und weniger nachdrücklich darstellen würde, wäre er nicht durch das Gold der Gewölbedekoration kontrapunktiert. Nach diesem absoluten Höhepunkt der hochbarocken Deckenmalerei Roms wirkt das weit ausgespannte *Gewölbefresko im Langhaus von S. Ignazio*

◁ 120 (Abb. 120), dessen Programm demjenigen von *Baciccio* sehr ähnlich ist, als Abstieg. Sein

Schöpfer, *Andrea Pozzo* (1642–1709), der dem Jesuitenorden beitrat und sich durch ein theoretisches Werk (Perspectiva Pictorum, seit 1685) über die richtige Methode, Bildarchitektur zu konstruieren, verdient gemacht hat, legt nämlich dem monumentalen Fresko das in Rom niemals geschätzte Korsett einer genau für einen bestimmten Betrachterstandpunkt konstruierten Bildarchitektur an, die zwar als „Fortsetzung des Raumes" mit anderen Mitteln gedacht ist, aber zwangsläufig die ruhige und klare Gesamterscheinung beeinträchtigen muß. Tatsächlich hat diese Form des sog. *illusionistischen Deckenfreskos*, das von Oberitalienern und Nicht-Italienern gepflegt wurde, mehr Anziehungskraft auf die österreichischen und deutschen Bauherren und Maler ausgeübt als Anerkennung in Rom gefunden.

Guido Reni (1575–1642) ist nach dem Tode *Lodovico Carraccis* (gest. 1619) das Haupt der *Schule von Bologna* geworden. Das Konzept des Meisters zog magnetisch viele Schüler an, die es allerdings oft bis zu einem dünnblütigen Akademismus verwässerten. Reni selbst aber war geistig und künstlerisch eine Potenz ersten Ranges. Sein Werdegang hat Ähnlichkeit mit dem des *Rubens*. Er lernte zuerst bei einem Niederländer, *Dionys Calvaerdt*, nahm an der Reform der *Carracci* in Bologna teil, kam aber erst in Rom 1600–04 wirklich zu sich

121–123 Diego Velázquez. Die Trinker (Los Borrachos). Um 1628. Madrid, Prado. (121) – Papst Innozenz X. Pamphili. 1650. Rom, Galleria Doria Pamphili. (122) – Las Meninas (Die Familie Philipps II.). 1656. Ausschnitt mit der Infantin Margarete, einer Hofdame und dem Maler Velázquez. Im Spiegel wird das königliche Paar sichtbar. Madrid, Prado. (123) – Die frühen „Bodegones" von Velázquez der zwanziger Jahre lassen sich gut mit Caravaggio vergleichen: Anders als dessen Bacchus (Abb. 108) sitzt derjenige des Velázquez inmitten der spanischen Bauern, mit denen er sich beim Fest vergesellschaftet. Dargestellt ist nicht nur der suggestiv uns gegenübergestellte Gott, sondern die Sozietät, die sich in Fest, Feier und Tanz mit den Göttern vereint, was an Rubens erinnert und auch der niederländischen Auffassung, die in Spanien gut bekannt war, nahesteht. Die Bildform, wo zwar ganze Figuren gemeint sind, während sie durch Bücken, Knien und Lagern dicht bei der Erde bleiben, was dem Thema ja auch entspricht, ist ohne Italien undenkbar, deutet aber eine sehr freie, persönliche Auswahl von Vorbildern, auch der oberitalienischen Malerei, des 16. Jh. an. Diese Einstellung zur großen Überlieferung außerhalb Spaniens führt nach 1630 zu großartigen Leistungen. Im Porträtfach beweisen das die

drei gewählten Werke. Das Porträt Innozenz X. (122), das auf Raffaels Leo X. zurückweist, bildet den Höhepunkt des knapp angeschnittenen, repräsentativen Papstbildnisses; der Prinz Baltasar Carlos im Prado (um 1635/36, Umschlagbild) läßt alle „Vorstufen" des Reiterbildes dieser Haltung in der Graphik (Callot) und Malerei weit zurück und kann geradezu als optimistische, helle, naturhafte Antwort auf Tizian (Karl V.) gelten. Der Thematik des Gruppenbildnisses fügte Velázquez mit den Meninas (123) eine ganz neue formale und geistige Dimension hinzu, die den venezianischen Werken dieser Gattung nähersteht als den holländischen. Denn diese kennen selbst in Meisterwerken von Frans Hals (136) oder Rembrandt (134) nicht die markante und vornehm-bedeutungsvolle Isolierung der einzelnen Person, die Velázquez zu geben weiß und deshalb auch nicht seine Form von Beziehungen, die er in Blick und Haltung und auch durch ganz unpersönliche Requisiten auszudrücken vermag. Er transzendiert damit die konventionellen Klassengrenzen und ist wohl der erste Maler, der den Zusammenhang zwischen Mensch, Freiheit und Einsamkeit zur Darstellung brachte.

124 Francisco de Zurbarán, Anbetung der Könige. 1638. Grenoble, Musée des Beaux Arts.

121

selbst (Bethlehemitischer Kindermord, Vat. Pinakothek; Samson, Bologna, Gem.-Gal.; Aurora, Casino Rospigliosi, Rom). Er steht auch über den beiden Richtungen der damaligen römischen Malerei. Dem ewigen Ideal der italienischen Kunst, der reinen Schönheit, kommt er besonders nahe im Marienbild und in Gemälden mit einer oder mit wenigen Figuren. Als Kolorist ist *Reni* höchst bemerkenswert (*Himmelfahrt Mariä*, Abb. 110). Wahrscheinlich war er der erste, der von der Helldunkelmalerei zu einem reinen Chromatismus in Italien übergegangen ist.

Venedig wäre nach dem Tode *Tintorettos*, 1596, künstlerisch wohl in Reproduktion verödet, wenn nicht sein Ruf als Mekka der Malerei und die günstigen Lebens- und Erwerbsbedingungen die Lagunenstadt auch im 17. Jahrhundert anziehend gemacht hätten. Zwischen 1620 und 1650 waren hier bedeutende Maler tätig. 1621 kam *Domenico Fetti* (1588–1623) aus Mantua, ein Sonderling von ursprünglicher Begabung und gedankenreicher Maler von Parabelbildern (Prag, Wien, Paris). Im gleichen Jahr hielt sich der aus Holstein gebürtige geniale *Jan Liss* (um 1597–1629) in Venedig auf, wohin er nach einem kurzen römischen Intermezzo für den Rest seines kurzen Lebens zurückkehrte. Seine reifen Werke, Altarbilder (*Verzückung Pauli*, Abb. 116), Mythologien, Historien und Genreszenen wirken wie ein Vorgeschmack auf das 18. Jahrhundert. Erst bei ihm und nur bei ihm droht die Figur in den glühenden Farb- und Lichtmassen der Malerei unterzugehen. Sein Barock ist in der italienischen Kunstgeschichte des 17. Jahrhunderts das Nonplusultra des Malerischen. Anders liegen die Dinge bei *Bernardo Strozzi* (1581–1644). In Genua, seiner Heimat, müssen die Bilder des Rubens (S. Ambrogio, frühe Beschneidung, spätes Ignatius-Altarbild) auf seine Farbempfindung eingewirkt haben, vielleicht vertiefte *A. van Dyck* diese Wirkung noch bei seinem Aufenthalt in Genua. *Strozzi* war Kapuzinermönch und sicherlich mit der devotio moderna vertraut. Vielleicht erklärt sich so sein Hang zu Themen des „niedrigen" Genres (Küchenstücke, Stilleben). 1630 ging er nach Venedig, wo auch das Altargemälde *Der hl. Laurentius verschenkt das Kirchensilber an die Armen* (Abb. 115) entstanden ist, dessen Komposition den Einfluß Veroneses ganz zwanglos mit einer in Italien sehr seltenen kraftvoll-natürlichen Erscheinungsweise der Figuren und der Farbigkeit verbindet.

Die *spanische Barockmalerei* des 17. Jahrhunderts besitzt eigentümliche Voraussetzungen und besondere Bedingungen. Das *Porträt*, die *biblische Historie* und das *Andachtsbild* sind die wichtigen, fast ausschließlichen Aufgaben, der antikische Bilderkreis fehlt. Hervorzuheben sind die sog. *Bodegones* (= Küchenstücke) und frühe Beispiele des *Stillebens* (Abb. 126). In diesen, durch *Velázquez* und *Zurbarán* geadelten Themen, denen auch die berühmten *Bettelbuben Murillos* (Abb. 125) in gewissem Sinne zuzurechnen sind, bloß eine Genremalerei zu sehen, ist gewiß abwegig: Es handelt sich wohl um religiöse Allegorien, bei denen der Fingerzeig auf die Vergänglichkeit des Irdischen nicht zu übersehen ist, ebensowenig aber auch die fromme Überzeugung vom göttlichen Ursprung aller irdischen Geschöpfe und von der Demut, die auch im Geringsten den Bruder erkennt. Überhaupt ist der Bildbegriff der spanischen Malerei nicht zu trennen von der anagogischen Bedeutung.

Neben der Kirche als Auftraggeber und Spiritus rector besaß nur der königliche Hof in Madrid eine nennenswerte Bedeutung. Das gilt in erster Linie für die *Bildnismalerei*, die
◁ 124   bereits im 16. Jahrhundert *(Tizian)* in Spanien anstelle einer monumentalen Ikonographie

(Standbild, Porträtbüste) getreten war. Die Aufgabe war sehr weitläufig (Abb. 122, 123), denn neben Darstellungen als Büste, in ganzer Figur, als Paar oder Gruppe und in kleineren wie in monumentalen Ausmaßen war auch das *Reiterbildnis* (siehe Umschlagbild) sowie das Schlachtenbild gefordert. Was der Hof an Mythologien zu besitzen wünschte, besorgte er sich wie im 16. Jahrhundert außerhalb Spaniens in Italien und, seitdem *Rubens* erreichbar war, auch aus Antwerpen (Gemäldezyklen für das Jagdschloß Torre de la Parada). Selbst von *Velázquez* sind nur ganz wenige mythologische Bilder bekannt. Zu Recht wurde darauf hingewiesen, daß sich die spanischen Maler erst im 17. Jahrhundert eine soziale Stellung er-

125 Bartolomé Esteban Murillo, Bettelbuben beim Würfeln. 1675. München, Alte Pinakothek.

126, 127 Stilleben. 126 Fray Juan Sánchez Cotán, Früchtestilleben. Um 1602. San Diego (Kalifornien). – 127 Sebastian Stosskopf, Vanitasstilleben. 1641. Straßburg, Museum. – Das Stilleben, das thematisch erst im 17. Jh. als Bildgattung auftrat, umfaßte gegenständlich verschiedene Grundformen und inhaltlich unterschiedliche Motivierungen. Frühe spanische (126) und deutsche Beispiele (127), unter denen die meist kleinen Tafelbilder des Deutschen G. Flegel (J. W. Müller 1956) hervorzuheben sind, verbinden die Darstellung von Früchten, Blumen, Brot und Wein oft mit Motiven und Hinweisen frommer Gedanken und moralisierender Betrachtung. In Holland wird dieser aus dem Spätmittelalter überlieferte Grundgedanke bald übertönt von der Pracht und der Fülle an Gegenständen, so daß der blanke Besitzerstolz und die Lebensfreude aus den nun großformatigen Tafelbildern leuchtet. Man komponiert nun die Gegenstände so, daß ihre Farbigkeit einen betörenden, bisweilen raffinierten und feinen Augenschmaus bildet (Abb. 147). Immer aber war getreue Abschilderung verlangt. Eine besondere Literatur über Pflanzen und Früchte begleitete diese Malerei (z. B. Sibylla Merian), ebenso wie Tierbilder von solchen Illustrationen gefolgt wurden. Auch anderes Gerät und Bücher wurden zu solchen Stilleben zusammengeordnet.

128 Adam Elsheimer, Die Flucht nach Ägypten. 1609. München, Alte Pinakothek.

129 Rembrandt Harmensz. van Rijn, Gewitterlandschaft. Um 1638. Braunschweig, Herzog-Anton-Ulrich-Museum.

130–132 Rembrandt, sog. Hundertguldenblatt. Christus, Heiland der Kranken und Widerleger der Pharisäer. Radierung, an der Rembrandt 1640–49 arbeitete. Amsterdam, Rijksmuseum. (130) – Selbstbildnis. Um 1627/28. Rohrfeder- und Pinselzeichnung, London, British Museum. (131) – Selbstbildnis am Fenster. 1648. Radierung, Amsterdam, Rijksmuseum. (132) – Rembrandt hat neben etwa 1500 Handzeichnungen, die erhalten sind, auch 300 Radierungen von 1628–61 geschaffen, deren Themen alle Bereiche umfassen, so daß schon thematisch das graphische Werk – wie bei Dürer – mit dem malerischen zusammen gesehen und studiert werden muß. Da er dieselbe Platte auch nach Abnahme von Abzügen erneut oft verändernd behandelte, teils mit dem Grabstichel, teils durch Wiederholung des Ätzvorgangs mit nachfolgenden, oft tiefgreifenden Korrekturen durch die Nadel, gibt es verschiedene „Zustände" (Etats) seiner Radierungen und ferner auch sehr späte Abzüge seiner Platten, z. B. aus dem 18. Jh. Bisweilen arbeitete er an einem Blatt sehr lange, so z. B. an dem abgebildeten „Hundertguldenblatt", wo Jesus als Heiland der Kranken dargestellt ist (130), wobei man die Überarbeitung mit dem Stichel, der Grate erzeugt, beobachten kann und ebenso den außerordentlichen Reichtum der Abstufungen, im Formalen wie auch in der Kennzeichnung seelisch-geistigen Verhaltens. Dies 28,1 × 38,5 cm große Blatt ist ein großartiger Beweis für die monumentale Bildersprache dieses Phantasiemalers, die ebenso wie im gezeichneten (131) und radierten Selbstbildnis (132) vollkommene „Bilder" zu geben weiß, Darstellung nämlich von Menschen, welche eine ganze Welt aufschließen.

125 ▷

△ 128

▽ 129

kämpfen mußten, die in Italien und in den Niederlanden seit langem selbstverständlich war, so daß wir auch bei den führenden Meistern mit einer besonderen Empfindlichkeit gegenüber der in Spanien noch üblichen Gleichsetzung von Kunst und Handwerk zu rechnen haben (M. Warnke 1970). Eine eigene Kunsttheorie fehlte. *Francisco Pachecos* Traktat über die Malerei, 1649, hat als Lehrgebäude geringen Wert, auch wenn die Nachrichten über Kunst und Künstler, die der Autor, der Schwiegervater von *Velázquez*, eingestreut hat, wertvoll sind.

Unter den Schulen Spaniens ragte im 17. Jahrhundert die von *Sevilla* bei weitem hervor. Von hier aus verbreitete sich auch die schon erwähnte Gattung der *Bodegones*. In dieser Hafenstadt mit weltweiten Verbindungen war für die Maler der Blick in die Welt am leichtesten möglich. Die beiden führenden Meister der sevillanischen Schule waren *Zurbarán* und *Murillo*. *Francisco de Zurbarán* (1598–1664), ein Generationsgenosse der Maler des europäischen Hochbarocks, wirkte seit 1630 in Sevilla, führte 1634 für den Hof einen Zyklus von Herkules- und Schlachtenbildern aus und übersiedelte unter dem Druck der aufsteigenden Konkurrenz des *Murillo* schließlich 1658 nach Madrid. Seine Stilbildung war, wie bei allen großen Barockmalern in Spanien, ungewöhnlich und nach vielen Seiten hin ausgespannt. Im *Altarbild* höchster Qualität (*Anbetung der Könige*, Abb. 124) zeigt *Zurbarán* deutlich, wie bestimmt er alle Anregungen der eigenen künstlerischen Absicht untergeordnet hat und worin der Reiz solcher Kompositionen beruht, nämlich in dem Ausdruckswert der verschiedenen Haltungen: des Kniens, Stehens, der Wendung. Man findet hier eine Art von Mathematik und Geometrie, wie sie etwa Pascal vorgeschwebt haben mag, Verkörperung von gegebenen, gesetzten Verhältnissen, die ohne assoziative Psychologie von sich aus sprechen, und zwar durchdringend und mit geistigem Organ. Das allein aber macht noch nicht alles aus. Es gibt hier etwas ursprünglich Schönes, Reines, Unberührbares, das sich so nirgend anderswo als in Spanien findet.

Bartolomé Esteban Murillo (1617–82) vertritt die Generation des Spätbarocks in der spanischen Malerei. Seit 1650 hatte er *Zurbarán* endgültig überrundet. 1660 wurde er zum ersten Präsidenten der neu begründeten Akademie gewählt. Seine Malerei setzt nicht nur die spanischen Meister des Früh- und Hochbarocks voraus, sondern auch *Rubens* und *Reni*. Die Dichte der Komposition und des Kolorits, die für *Zurbarán* so wichtig gewesen ist, lockert *Murillo* fühlbar auf. Die Qualität seiner zahlreichen Altarbilder, Bildnisse und Genredarstellungen ist unterschiedlich. Er war es, der denjenigen Typus der *Immakulata* geprägt hat; der bis ins späte 19. Jahrhundert ebenso überschätzt wie nachher geringgeachtet wurde. Es handelt sich aber gar nicht um den Geschmack, sondern um eine typische Prägung, etwa derart, wie sie *Palladio* in der Baukunst mit seiner Villa Rotonda geben wollte und auch gab. *Murillos* Immakulata ist also ein bildmäßiger Inbegriff so wie die Unbefleckte Maria von *Reni* (München). Im Vergleich mit Reni wird doch auch auf dieser Beurteilungsbasis bei dem Spanier ein Verlust an Kraft recht deutlich, der sich in einer erheblichen Verkindlichung ausdrückt. Den Vorzug, den man allgemein seinen berühmten *Bettelbuben* (Abb. 125) seit dem 18. Jahrhundert zu geben pflegt, wird also verständlich. Denn diese würfelspielenden Gassenjungen sind doch schon eine Art „Fachmalerei", also ein fast punktuelles Thema, verglichen mit dem der jungfräulichen Gottesmutter.

Diego Rodriguez Silva y Velázquez (1599–1660) hat sich seine Sporen als Bildnismaler am königlichen Hof verdient und blieb dies auch in den Augen seines königlichen Dienstherrn von 1623, dem Zeitpunkt seiner Anstellung, bis zum Tode. Wer jedoch Velázquez *Porträt des Papstes Innozenz X.* in der Galleria Doria in Rom (Abb. 122) gesehen hat, kann ermessen, welcher Umsturz mit diesem Porträtisten in der Auffassung der Aufgabe vollzogen wurde. In viel höherem Maße als z. B. *van Dyck* wandelte *Velázquez* das Bildnis zu einem

133, 134 REMBRANDT, DER VERLORENE SOHN. Um 1656. Leningrad, Eremitage (133). – DIE NACHTWACHE (Ausschnitt). 1642. Amsterdam, Rijksmuseum (134).

135 GERARD TERBORCH, BILDNIS EINES STEHENDEN HERRN. Um 1645. London, National Gallery.

136 FRANS HALS, DIE OFFIZIERE DER ST.-ADRIANS-SCHÜTZENGILDE IN HAARLEM (Ausschnitt). 1633. Haarlem, Frans-Hals-Museum.

137 FRANS HALS, WILLEM CROES. Vor 1658. München, Alte Pinakothek.

138 FRANS HALS, ALTE FRAU. 1664. Ausschnitt aus dem Gruppenbildnis der Vorsteherinnen des Altmännerspitals. Haarlem, Frans-Hals-Mus.

139–142 DIE HOLLÄNDISCHE LANDSCHAFT. 139 HERKULES SEGHERS, FLACHLANDSCHAFT MIT DEM STÄDTCHEN RHENEN. Um 1635. Berlin, Staatliche Museen, Gemäldegalerie. – 140 JACOB VAN RUISDAEL, DER WEG ÜBER DEN SANDHÜGEL. 1647. München, Alte Pinakothek. – 141 JAN VERMEER VAN DELFT, ANSICHT VON DELFT. Um 1650. Den Haag, Mauritshuis. – 142 MEINDERT HOBBEMA, DIE ALLEE VON MIDDELHARNIS. 1689 (?). London, National Gallery. – So sehr sich die holländischen Landschaftsbilder als anspruchslose, malerisch glänzend durchgeführte Abbildungen heimatlicher Örtlichkeit ausgeben, so deutlich ist doch an ihnen der hohe Grad an Abstraktion. Das läßt sich besser als an den frühen Bildern des 1. Viertels des Jahrhunderts, an solchen des 2. Viertels zeigen, die H. Jantzen (1912) geradezu als „impressionistisch" bezeichnet hat (A. Brouwer, Abb. 153; H. Seghers, Abb. 139): „Da das Auge nichts Gegenständliches mehr fassen kann, wird es auf die feinen Reize geringer Tonunterschiede eingestellt. Hebungen einer einzigen Tonstufe wollen unterschieden und genossen werden." Das setzt neben einer ausdrücklichen Tonmalerei, d. h. einer farbigen Differenzierung von

Helligkeitswerten, eine grundsätzlich fernsichtige Auffassung voraus und ferner weitgehende Unterdrückung großer, „pathetischer" Motive. Seghers, der auch ein erfinderischer, virtuoser Radierer war, wählte z. B. bei der Ansicht von Rhenen (139) das Verhältnis von hoch zu breit so extrem, daß man später Anstückungen oben und unten für nötig erachtete, um die Aufmerksamkeit des Betrachters nicht zu überfordern. Anders steht es mit den von H. Jantzen als „komponierte" Landschaften bezeichneten Bildern seit etwa 1650. Jacob van Ruisdael legt Wert auf Verdunkelung des Vordergrunds und auf pathetische Silhouetten, schafft aber die Hochspannung der optischen Aufmerksamkeit (A. Riegl) erst mit einem Kolorit, das zwischen gelblichen und bläulichen Tönen schwebt, plötzlich aber Buntfarbenfleckchen gibt, die in einem derartigen Zusammenhang elektrisierend wirken. Vermeer ordnet die Häuser von Delft (141) streifenförmig im Bilde zwischen Himmel und Wasser, also „bodenlos", als bloße Erscheinung an und entfaltet an ihnen ein virtuoses Farbenspiel, das ganz klar nach rechts-Mittelinks gruppiert, aber völlig ausgewogen ist. Hobbemas berühmte Pappelallee (142) hebt ein altes Requisit der perspektivischen „Tiefenwirkung" völlig in der Balance von farbiger Helligkeit und Dunkelheit auf, so daß alle fatalen Nebenwirkungen einer orthogonal durchstoßenden Gasse zugunsten einer ausgebreiteten und völlig harmonischen Farbwirkung verschwunden sind. Insofern besteht die „Einheit" dieser Landschaften eben nicht im bloß Illustrativen, sondern in jenem gehobenen, heiteren Selbstgefühl, das mit der Betrachtung solcher Augenpracht verbunden ist.

143 JAN VERMEER VAN DELFT, DER RUHM DER MALKUNST. Um 1660. Wien, Kunsthistorisches Museum.

133 ▷

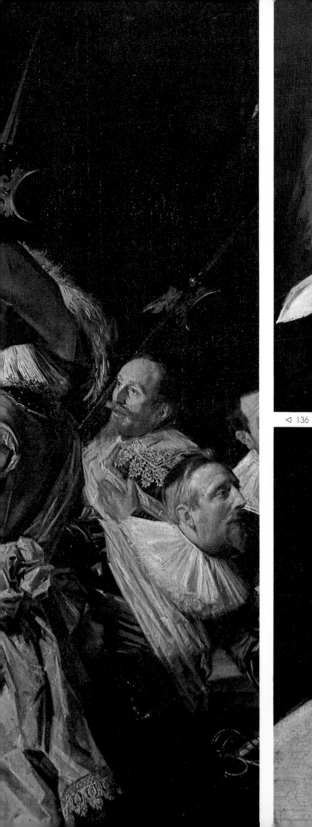

◁ 136   △ 137   ▽ 138

△ 139

▽ 140

△ 141

▽ 142

Werk der Phantasiemalerei um, schuf sich gleichsam im Rahmen der konventionellen Gattung die Möglichkeiten, die ihm in Spanien nicht oder nur ausnahmsweise zur Verfügung standen. Wie anders soll man etwa das Gruppenbildnis der sog. *Meninas* (Abb. 123) verstehen? Die Prinzessin Margareta steht im Vordergrund des Malerateliers mit dem Meister an der Staffelei; rückwärts im Spiegel sieht man König und Königin, Hofdamen bemühen sich um die Infantin. Mit diesen und anderen Motiven schafft Velázquez jedoch ein Gefüge von neuen, unerschöpflichen Beziehungen, in dessen Zentrum das Selbstbildnis des Malers und das Spiegelbild des Königspaares steht. Zu solcher vielsagender Verschwiegenheit paßt die haarscharfe Geometrie der Rückwand und die markante geistige Isolierung der einzelnen Personen. Das alles aber ist gemalt in einer triumphalen, reichen und kostbaren Art, die bekanntlich seit dem Impressionismus immer neue Begeisterungsstürme erregte. Ein solches Ergebnis setzt auch bei einem Velázquez mehr voraus als die gute Absicht. Das lebensprühende Jugendwerk *Die Trinker* (Los Borrachos), das vor dem Juli 1629 entstanden sein muß (Abb. 121), zeigt noch eine schwankende Figurengruppierung und trotz der suggestiven „totalen" Konfrontation mit dem Betrachter sehr konventionelle Motive, z.B. in den Repoussoir-Figuren. Erst die Bekanntschaft mit Italien auf den beiden Reisen 1629/30 und 1649–51 hat auch bei dem größten spanischen Maler dazu geführt, daß er sein Eigenes bestimmter und vollkommen zum Ausdruck bringen konnte und die Maßstäbe erwarb, die alle europäischen Barockmaler in der antiken und modernen Kunst Italiens sahen.

Die Befreiung vom spanischen Joch feiert *Holland* im 17. Jahrhundert mit der beispiellosen Entfaltung der Malerei. Die Produktion geht in die Breite, sie wird massenhaft. Um so erstaunlicher ist es, in dem dichten Wuchs handwerklicher Tüchtigkeit meisterhafte Leistungen in großer Menge anzutreffen, viele hervorragende Maler und den überragenden, der aus der holländischen Malerei hervorgegangen ist, auch wenn er sich ihr schließlich entzogen hat: *Rembrandt*. In den ersten drei Jahrzehnten sind *Haarlem, Utrecht* und *Amsterdam* die führenden Schulen. Um 1650 haben die Maler der zweiten Generation diejenige der Bahnbrecher abgelöst, um 1680 macht sich schon der Einfluß des französischen Geschmacks bemerkbar, die goldene Zeit der holländischen Malerei ist vorbei. Der ganze Prozeß beruht auf Voraussetzungen und Triebkräften, die weit über die Kunstgeschichte hinausgehen. Insofern ist die holländische Malerei ein Kulturphänomen, das sich selbst erklärt und in den südlichen Niederlanden, von denen sich jetzt Holland endgültig losgetrennt hat, durchaus Parallelen besitzt. Kunstgeschichtlich läßt sich wenigstens eine entscheidende Anregung von außen nicht verkennen, diejenige durch *Caravaggio*, und zwar in der Vermittlung derjenigen Rom- und Italienfahrer unter den holländischen Malern, die sich um 1620 in der *Schule von Utrecht* versammelten: *Gerard Honthorst* (1590–1656), *Hendrik Terbrugghen* und *Dirck van Baburen*. Während aber die *Caravaggio-Nachfolger* in *Antwerpen, Abraham* und *Jan Janssens, Theodor Rombouts* ohne nennenswertes Echo geblieben sind, hat die holländische Malerei die Anregungen bereitwilliger aufgegriffen, sie dafür sich auch völlig einverleibt. *Pieter Lastman* (1583–1633) vermittelte als Lehrer *Rembrandt* den niederländischen Caravaggismus.

Ein markantes Kennzeichen der holländischen Malerei des 17. Jahrhunderts sind die *Fach-*
◁ 143 *maler,* d.h. Meister, die sich auf eine Bildgattung oder ein Thema spezialisierten. Zweifellos

hing dies auch mit der Nachfrage zusammen, also mit dem geistigen Format der Auftrag-geber und ihren Erwartungen von der Malerei. Zugleich deutet die Sitte – oder Unsitte – auf ein ungewöhnliches Maß an Kunstkennerschaft, auf die Freude daran. Für die Maler selbst brachte die Einengung des Horizonts als notwendige Folge die Konzentration auf ihr Handwerk, auf gediegene Ausführung mit sich, erzeugte zugleich aber auch verfeinerte Kritik nicht nur des Gegenstandes, der gemalt wurde, sondern auch des Wie. – Jedenfalls muß man es hinnehmen, daß die drei Meister von höchstem Rang in Holland, abgesehen von *Rembrandt*, alle reine Fachmaler waren: *Frans Hals* (1585/86–1666), der seit seiner Zu-wanderung aus Antwerpen 1610 in *Haarlem* ausschließlich Bildnismaler gewesen ist (wozu auch die „caravaggesken" Genre-Halbfigurbilder zu rechnen sind); ferner der Genremaler *Jan Vermeer van Delft* (1632–75) und schließlich Jacob van Ruisdael (1628/29–82), ein aus-schließlicher Landschaftsmaler. Es gab jedoch noch viel mehr eingeschränkte „Fächer", so die *Marinemalerei*, z.B. *Der Kanonenschuß* (Abb. 144) von *Willem van de Velde d.J.* (1633–1707), die *Blumenmalerei* eines Jan Davidsz. de Heem, das *Stilleben*, z. B. Abb. 147 von *Willem Kalf* (1619–93), das *Kirchenstück* (Emanuel de Witte), das *Tierstück* usw.

Zahlreiche Maler wandten sich mit äußerster Akribie der Darstellung scheinbar alltäglicher Themen zu, die durch Feinmalerei, handwerkliche Treue und Stimmungsgehalt überzeugen, z. B. *Pieter de Hooch* (1629 bis nach 1684), *Gesellschaft vor dem Haus* (Abb. 145), *Jan Steen* (1626–79), *Der Wirtshausgarten* (Abb. 146).

Eine Aufgabe jedoch war stillschweigend für alle holländischen Maler „Pflichtfach", näm-lich die *Bildnismalerei*. Gefragt war ein ehrliches, handwerklich solides, schmuckes Konter-fei, geliefert wurden erstaunlich viele Kunstwerke. Die Spannweite des Charakters und der Malweise ist enorm, sie reicht vom bürgerlichen schlichten Bildnis bis zu den vornehmen, die *Gerard Terborch* (1617–81) malte (Abb. 135). Das Format ist sogar für ein ganzfiguriges Porträt gewöhnlich klein. Jene selbstverständliche Annahme, die Darstellung müsse unge-fähr dem Dargestellten auch in der Größe entsprechen, wie sie noch teilweise für Frans Hals verbindlich war, gilt nicht mehr. Das *gerahmte Wandbild* wird immer mehr als Kunst-gegenstand gewertet, die Formatfrage streckt sich nach der Decke. Für die *Gruppenbildnisse* aber, die gewöhnlich in öffentlichen Bauten zur Schau gestellt und auch öffentlich, nicht privat, eingeschätzt wurden, forderte man „so groß wie möglich". Beispiele lieferte der Haarlemer *Frans Hals*, der diese Gattung als *Schützenstück* seit 1616 mehrmals bearbeitete, so auch in den *Offizieren der St.-Adrians-Schützen* von 1633 (Abb. 136). Das Gruppenbild-nis bietet die willkommene Gelegenheit, an den Bildern des zweitbesten Porträtisten von Holland die ungemeinen Wandlungen zu beobachten, die der Meister durchgemacht hat. So keck auch die Schützen von 1633 uns gegenüberstehen und -sitzen, so klug uns ihre An-

144 WILLEM VAN DE VELDE D.J., DER KANONEN-SCHUSS. Um 1660. Amsterdam, Rijksmuseum.
145 PIETER DE HOOCH, GESELLSCHAFT VOR DEM HAUS. 1655. Amsterdam, Rijksmuseum.
146 JAN STEEN, DER WIRTSHAUSGARTEN. Um 1660. Berlin, Staatliche Museen, Gemäldegal.
147 WILLEM KALF, STILLEBEN. Um 1688. Berlin, Staatliche Museen, Gemäldegalerie.

144

ordnung – ein Kardinalproblem dieser Bildgattung – im Vergleich mit den älteren Lösungen erscheinen mag, im Vergleich mit *Rembrandts* Schützenstück von 1642, der sog. *Nachtwache* (Abb. 134), zeigt sich ein gewaltiger Unterschied. Nicht anders geht es, wenn etwa *Frans Hals'* lebensprühendes, in der „impressionistischen" Handschrift keckes Münchener Bildnis des *Willem Croes* (Abb. 137) mit *Rembrandts* ruhig-ernstem *Selbstbildnis beim Fenster* von 1648 (Abb. 132) konfrontiert wird. Mit Rembrandts Bildniskunst ist eben die Grenze der holländischen Malerei überschritten: „Rembrandt ist Holländer durch und durch, er kann nur in Holland gedacht werden. Und doch ist er mehr, geht weit über die holländische Kunst und Kultur hinaus" (Wilhelm v. Bode).

Rembrandt Harmensz. van Rijn (1606–69) geht aus der holländischen Malerei hervor, gewinnt zur ihr Abstand und trennt sich von ihr. Das sind die wichtigen Abschnitte der künstlerischen und zugleich auch der geistigen Entilechie dieses großen Malers. Er war kein Fachmaler. Anspruchsvoll bemühte er sich von Anfang an um die höchste Aufgabe der damaligen Malerei, um das *Historienbild*. Er suchte den Anschluß an die „moderne" Richtung der holländischen Caravaggisten, denn nur so kann seine Lehrerwahl um 1622–25 zu verstehen sein. *Pieter Lastman* war als Vertreter dieser Richtung bekannt und auch *J. Pynas*, der – nach Houbraken – ebenfalls Lehrer des jungen *Rembrandt* gewesen sein soll. Rembrandt, diese unerschöpfliche Erfindernatur, war kein Präger von ikonographischen Sprachformeln. Alles, was davon in seinen Werken zu finden ist, stammt aus der Überlieferung oder aus Bildern von *Lastman*, auch die Requisiten, mit denen häufig Figuren der biblischen Geschichte als Orientalen eingekleidet sind. Das Vokabular solcher Maskerade ist nicht Rembrandts Erfindung, auch wenn das trotz der Forschungsergebnisse von R. Tümpel u. a. behauptet wird. Rembrandt war sehr eng mit der ikonographischen Überlieferung verwachsen, er achtete die Methode der Maskerade, und er bemühte sich, davon soviel wie nötig aufzugreifen und sich anzueignen. Er war, wenn man es so sagen darf, mit Lastman und Genossen durchaus ein Herz und eine Seele, als er 1631 oder 1632 von Leiden nach Amsterdam übersiedelte, wo er sich, mit Saskia von Uylenburgh verheiratet, weitläufig und in großem Stil einrichtete.

In den zehn folgenden Jahren bis zur „Nachtwache" gewinnt Rembrandt Abstand zu seiner Umgebung, seiner Herkunft. Das geschieht in der Auseinandersetzung mit *Rubens*, sichtbar in den ersten Bildern des Passionszyklus für den Prinzen von Oranien (München, Pinakothek), in der Frankfurter „Blendung Simsons" von 1636 und der *Gewitterlandschaft* (1637) in Braunschweig (Abb. 129), mit der kein holländisches Landschaftsbild mehr zu vergleichen ist, sondern höchstens ein solches von *Rubens* (Abb. 151, 152). Damit gibt sich Rembrandt als Phantasiemaler zu erkennen, nicht mehr als „Naturalist" oder „Realist". Ihm ist die Wirklichkeit, die von seinen holländischen Kollegen mit unverhohlenem Stolz als Besitz empfunden und vorgezeigt wurde, nicht Mittel zur Bestätigung einer Konvention, die lediglich immer von neuem variiert werden kann, sondern Gedankenstoff, Verhülltes. Das Schützenstück, das man die *Nachtwache* nennt (Abb. 134), bezeugt Rembrandts Wendung auch heute noch. Dies neue Moment, das Charisma des Bilddichters, war es ja auch, was die Proteste der Auftraggeber verursachte. Mit diesem Werk, das im Todesjahr von Saskia entstanden ist, trennte sich *Rembrandt* von der holländischen Malerei, deren Weg auch bei den

◁ 147

145

umfassend strebenden Malern nur gelegentlich, wie in *Vermeers Ruhm der Malkunst* in Wien (Abb. 143), über den virtuos gesteigerten Effekt einer peinture hinausging. Bis zu den tragischen *Spätwerken* (*Der verlorene Sohn*, Abb. 133) bleibt die Trennung erhalten. Um aber den großen Philosophen, der Bilder erfindet, von dem Mißverständnis des 19. Jahrhunderts, Wandschmuck geliefert zu haben, zu befreien, ist es dringend nötig, den innigen Zusammenhang zwischen der *Malerei*, den *Handzeichnungen* und den *Radierungen* (z. B. *Hundertguldenblatt*, Abb. 130) sich gegenwärtig zu halten. Geschieht das nicht, zerteilt man den Rembrandtschen Bildbegriff ganz willkürlich, nämlich nach den Bildträgern Papier und Leinwand, und verliert den „ganzen" Rembrandt. Die einzigartige Kette der *Selbstbildnisse* (Abb. 131, 132) geht ja über diese artifiziellen Grenzen hinweg: Das Menschenbild Rembrandts ist unteilbar und weder ein Sujet für Kolorit noch eine bloße Illustration für den Pietismus.

Verglichen mit der holländischen Malerei, deren Struktur A. Riegl als republikanisch und partikularistisch empfand, war die *Barockmalerei Flanderns* auf das eine Kunstzentrum *Antwerpen* konzentriert, wo *Rubens* und seine Werkstatt wie ein Magnet wirkten. Aber diese monarchische Verfassung war keine absolutistische. Rubens selbst sorgte klug dafür, daß seine Antwerpener Malerkollegen nicht zu kurz kamen, daß selbst seine Mitarbeiter eigene Werkstätten unterhalten konnten, so der Tier- und Stillebenmaler *Frans Snyders* und der Landschafter *Jan Wildens*, daß die *Stecher*, die er für die Vervielfältigung seiner Kompositionen herangezogen hatte, in der Scheldestadt, wo der große Plantin-Moretus-Verlag seinen Sitz hatte, tüchtig verdienten und daß auch die beiden profiliertesten Maler Antwerpens, Jordaens und van Dyck, nicht zu ihm in Gegensatz gerieten. *Jacob Jordaens* (1593–1678), der eine große Werkstatt unterhielt, Entwürfe für Tapisserien anfertigte und die meisten der historisch-allegorischen Gemälde lieferte, die heute den sog. Oraniersaal im Huis ten Bosch von Den Haag schmücken, führte z. B. nach Skizzen von Rubens viele Bilder für

148 PETER PAUL RUBENS, RAUB DER TÖCHTER DES LEUKIPPOS durch die Dioskuren Kastor und Pollux. 1617. München, Alte Pinakothek.

149 PETER PAUL RUBENS, LANDUNG DER MARIA VON MEDICI IN MARSEILLE. Um 1622/23. Ölskizze für das 11. Gemälde des Medicizyklus in Paris. München, Alte Pinakothek.

150 PETER PAUL RUBENS, ILDEFONSOALTAR, 1631/32. Wien, Kunsthistorisches Museum. Mitteltafel: Die Heilige Jungfrau erscheint inmitten des himmlischen Hofstaats dem Heiligen und schenkt ihm ein Meßgewand.

151 PETER PAUL RUBENS, LANDSCHAFT MIT PHILEMON UND BAUCIS. Vor 1630. Wien, Kunsthistorisches Museum. Kleinfigurig dargestellt sind (nach Ovids Erzählung) Baucis und Philemon, die rechts neben Jupiter und Merkur entsetzt

der Bestrafung der ungastlichen Phrygier durch die Sintflut zusehen.

152 PETER PAUL RUBENS, LANDSCHAFT MIT ODYSSEUS UND NAUSIKAA. Nach 1630. Florenz, Palazzo Pitti.

153 ADRIAEN BROUWER, DER HIRT AM WEGE. Um 1635. Berlin, Staatliche Museen, Gemäldegal.

154 ANTON VAN DYCK, ENGLISCHE LANDSCHAFT. Nach 1632. Feder und Wasserfarben. Chatsworth, Devonshire Collection.

155 ANTON VAN DYCK, KARDINAL BENTIVOGLIO. 1624. Florenz, Palazzo Pitti.

156 ANTON VAN DYCK, KARL I. VON ENGLAND MIT DEM REITKNECHT UND PAGEN. Um 1635. Paris, Louvre.

157 JACOB JORDAENS, DIE FRAU DES KÖNIGS KANDAULES. 1649. Stockholm, Nationalmus.

Torre de la Parada aus. Im Zentrum seiner Bildwelt stand die Familie, das hohe Lied auf den Familienverband der Geschlechter und Generationen und auf das Mahl, die Hochzeit. Jordaens ist als barocker Maler das, was man fälschlich oft in Rubens zu sehen meinte, der echte Repräsentant nämlich flämischer Lebensfreude, rustikal und stolz auf den Überfluß sowohl des Besitzes als auch der Leiblichkeit (Abb. 157). *Anton van Dyck* (1598–1642), der als Wunderkind schon 1615 mit selbständigen Gemälden in Antwerpen hervorgetreten war, seit 1617 etwa als freier Mitarbeiter im Rubens-Atelier tätig wurde und nach einem italienischen Studienaufenthalt in Venedig, Genua, Neapel, Messina und Rom, 1622–27, als Hofmaler 1632 nach England ging, wurde der Meister des vornehmen, in Charakteristik und Kolorit gleichermaßen prächtigen *Porträts* (Abb. 155, 156). Von seiner Hand gibt es auch anspruchsvolle Altar- und Historienbilder sowie aus der englischen Zeit erstaunlich frische, geradezu an Dürer erinnernde Landschaftsaquarelle (Abb. 154). Ihn mit Rubens zu vergleichen wäre ungerecht. Van Dyck, der Gründer einer modernen englischen Malerei, war nicht universal angelegt und ausgestattet wie Rubens.

Die Malerei in *Paris* und *Frankreich* war bis 1660 uneinheitlich und nach diesem Zeitpunkt unter der Herrschaft *Charles Le Bruns* (1619–90) und der Akademie uniform, aber ohne innere Lebenskraft, die großdekorativen Deckengemälde ausgenommen. Nicht im Heimatland sondern in Rom haben *Nicolas Poussin* (1593–1665) und, in geringerem Umfang, *Claude Gellée, gen. Lorrain* (1600–82), das Schicksal der französischen Bildkunst entschieden. Beweis für die stilistische Unsicherheit in der französischen Malerei des frühen 16. Jahrhunderts ist das Fortleben des höfischen Manierismus der *Schule von Fontainebleau* einerseits und der niederländische Einfluß andererseits. Ein Beispiel ist das *Bacchanal* von *Jacques Blanchard* (1600–38), der nach manieristischen Anfängen und venezianischen Eindrücken von seinen Zeitgenossen für einen „französischen Tizian" gehalten wurde (Abb. 158).

Bis 1622 z. B. war der jüngere *Frans Pourbus* (1569–1622) aus Antwerpen der gesuchteste Porträtmaler in Paris, dann kamen *Rubens* (Medicizyklus) und der aus Brüssel gebürtige *Philippe de Champaigne* (1602–74), von Haus ein Landschafter, der so etwas wie eine Achse in der Pariser Malerei während seines langen, zuletzt unter dem Eindruck der Jansenisten stehenden Lebens geworden ist (Abb. 161). Selbständige und gewichtige künstlerische Potenzen waren dagegen in der Provinz tätig geworden, besonders in Lothringen, wo der Hof von Nancy künstlerisch besonders lebendig war. Von *Nancy* aus ging die Erneuerung der französischen Druckgraphik durch den in Florenz geschulten genialen Radierer *Jacques Callot* (Folge der Misères de la guerre 1633). *Georges de La Tour* (1593–1652), diese rätselhafte und faszinierende künstlerische Erscheinung, lebte und wirkte seit 1621 in Luneville und schuf hier wenige, aber eindrucksvolle und monumentale Altarbilder (Abb. 160) und Genreszenen. „Die vornehmen Töne seiner Farben, über die sich ein leichter, gleichsam melancholischer Grauschleier breitet, verraten den Lateiner des Nordens. Sein Schweigen ist etwas anderes als die robustere Stille des Nordens" (Georg Kauffmann 1970). Bis heute bleibt diese französische Parallele zu *Caravaggio* in ihren Ursprüngen unaufgeklärt, ebenso wie die künstlerische Herkunft der Brüder *Le Nain* (Abb. 159).

◁ 157 Groß war die Zahl französischer Maler in Rom. Viele von ihnen folgten dem suggestiven

Vorbild *Caravaggios*, so jener *Cecco del Caravaggio*, der 1615 bei dem römischen Maler Tassi wohnte, *Jean Le Clerc*, der mit *Saraceni* zusammenarbeitete und vor allem *Valentin*, der Burgunder (um 1594–1632), dessen Werke mit solchen Caravaggios verwechselt wurden. Auch *Simon Vouet* (1590–1649) begann in Rom unter dem Eindruck des großen Lombarden als ein *Tenebroso*, wie man später die pathetischen Helldunkelmaler nannte, bekehrte sich aber schon vor seiner Rückkehr nach Paris (1627) zu einer glanzvollen, leuchtenden, hochbarocken Bildform (Abb. 162). Die großdekorative Malerei nach römischem Vorbild zu beleben gelang erst mit der Berufung des Cortona-Adepten *A. Romanelli* im Jahr 1637 nach Paris für die Ausmalung der Galerie im Palais Mazarin. Damit war der cortoneske Dekorationsstil in Frankreich eingeführt, den *François Perrier* aufnahm und *Le Brun* bereichernd fortführte.

Mit *Nicolas Poussin* tritt die französische Kunst die Erbfolge Roms an. In ihm erfüllt sich die geheime Tendenz des grand siècle und damit überantwortete Poussin seiner Nation ein großes Erbe, nicht nur künstlerisch, sondern auch ethisch. Es ist fraglich, ob der Klassizismus, der sich als Verwalter dieses Erbes fühlte, dieser Aufgabe je gewachsen war.

Erst 1624 gelangte *Poussin*, aus ärmlichen Verhältnissen stammend und ohne Distinktion als Maler in Frankreich ausgebildet, an sein Ziel *Rom*. Hier förderte ihn *Domenichino* . brachte ihn mit den Mäzenen zusammen, die Poussin zur Anerkennung verhalfen, zuerst in Rom (der Antikensammler und Antiquarius Cassiano dal Pozzo, für den die erste Fassung des Zyklus der Sakramente nach 1636 entstand), später auch in Paris (die Brüder Frèart de Chambray und Sieur de Chantelou, der den zweiten Zyklus der Sakramente erwarb). Der zwar ehrenvolle, aber unter den Umständen aussichtslose Auftrag, 1640 in Paris die Dekoration der Galerie im Louvre zu entwerfen, verursachte die einzige Unterbrechung von Poussins Aufenthalt in der ewigen Stadt.

Der Ertrag dieses Malerlebens ist nicht groß. Poussin malte seine Bilder, die sorgfältig durch Zeichnungen vorbereitet und durch die Lektüre antiker Schriftsteller überprüft wurden, langsam und in mäßigen Formaten. Seine Käufer waren gebildete Kunstkenner. Poussin selbst lebte in Rom, besonders nach 1642, in seinem Hause auf dem Pincio eremienhaft, als Philosoph. In vielen Fällen wählte er selbst die Stoffe für seine Gemälde aus, die,

158 JACQUES BLANCHARD. BACCHANAL. 1636. Nancy, Museum.

159 MATTHIEU und LOUIS LE NAIN, VENUS IN DER SCHMIEDE DES VULKAN. 1641. Reims, Museum.

160 GEORGES DE LA TOUR, DIE GEBURT. Spätwerk, um 1650. Rennes, Museum.

161 PHILIPPE DE CHAMPAIGNE, DIE SCHÖFFEN VON PARIS. 1648. Paris, Louvre.

162 SIMON VOUET, VISION DES HL. BRUNO. Um 1635. Paris, Louvre.

163 NICOLAS POUSSIN, DIE INSPIRATION DES DICHTERS. Um 1630. Paris, Louvre.

164 NICOLAS POUSSIN, ET IN ARCADIA EGO. 1. Fassung, um 1629. Chatsworth, Devonshire Collection.

165 NICOLAS POUSSIN, LANDSCHAFT MIT DIOGENES. 1648. Paris, Louvre.

166 NICOLAS POUSSIN, DAS SAKRAMENT DER EHE. 1647/48. Edinburgh, National Gallery. Sammlung des Herzogs von Sutherland.

167 CLAUDE GELLÉE, gen. LORRAIN, KÜSTENLANDSCHAFT MIT ACIS UND GALATHEA. 1657. Dresden, Gemäldesammlung.

168 CLAUDE GELLÉE, gen. LORRAIN, TIBERLANDSCHAFT. Tuschpinselzeichnung. London, British Museum.

158 ▷

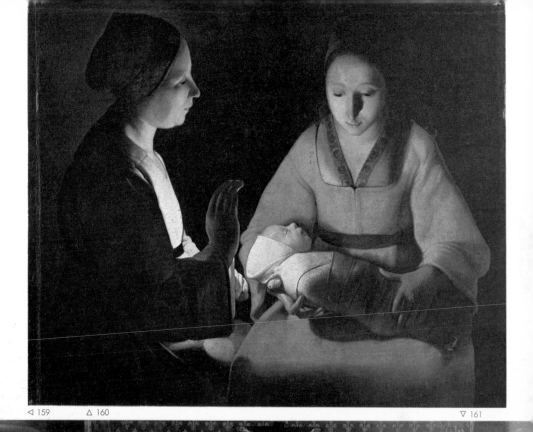

◁ 159   △ 160   ▽ 161

◁ 164 ▽ 166

△ 167

△ 168

meist für einen seiner Freunde bestimmt waren. Antike Mythologie, Historien des Alten Testaments und der römischen Geschichte sowie Bacchanalien und Landschaftsbilder überwiegen bei *Poussin*; das Bildnis aber fehlt. Solche Stoffe bilden jedoch nur den Rahmen für Poussins „transzendentale Thematik" (Kurt Badt 1955), die der Maler seinen Bildern verliehen hat. Auf sie verweisen oft schon die Bildtitel, die üblich geworden sind, so z.B. die *Inspiration des Dichters* (Abb. 163), die beiden Fassungen des *Et in Arcadia Ego* (Abb. 164) oder die beiden *Zyklen der Sakramente* (*Die Ehe*, Abb. 166). Der Ort der Handlung ist immer ein idealer, vom Maler beziehungsvoll gestalteter, meist in einer antikischen Einkleidung und ohne Zeichen der Veränderungen durch den Zahn der Zeit. Die Gruppierung der Figuren wird von einer übersichtlichen Choreographie bestimmt, die das besondere Thema bereits in großen Zügen zum Ausdruck bringt. Dieselbe Aufgabe übernimmt die *Farbe* bei Poussin, die sich von einer goldig überhauchten, durchsichtigen, lichten immer mehr zu fester, in Sequenzen unvermittelt nebeneinandergesetzter wandelt. Die Größe der Gestalten, die zuerst bildfüllend und nahe erscheinen, nimmt ab; die vielfigurige Darstellung dominiert in den späteren Werken. Poussin verwertet die Figur und ihre verschiedenen typischen Haltungen im Bilde ähnlich wie der Dichter die Worte nach Metrum und Reim abwägt und setzt. Seine Gemälde gewinnen damit in zunehmendem Maß den Wert humanistischer Ikonen, deren suggestive Darstellung die Gedanken anregt und eine „philosophie des images" vermitteln kann, die sonst nur der Dichtung, jedenfalls der geschriebenen Sprache möglich ist. Allen Bildern Poussins liegt ein besonderer Begriff der *Natur* zugrunde. Sie ist die höchste Form der dem Menschen zugänglichen Selbsterkenntnis, „die", wie Kurt Badt im Hinblick auf die hier abgebildete *Landschaft mit Diogenes und dem Schüler* bemerkte (Abb. 165), „zuerst im Geiste erfaßt und von dieser Erfahrung her auf die sinnlichen Erscheinungen geworfen, ihnen aufgeprägt ist". Naturdarstellung ist für Poussin Selbsterkenntnis. Sie vollzieht sich in der antinomischen Spannung von Freiheit und Gesetz; aus ihr entspringt Schönheit. So eigentümlich und wohl auch spezifisch französisch dieser Naturbegriff auch ist, er bildet doch über das Persönliche von Poussin hinaus, den archimedischen Punkt, von dem aus betrachtet der Stil, den wir den barocken nennen, als Einheit des Geistes, um ein Wort M. Gosebruchs über Donatello zu variieren, verstehend begriffen werden kann. Von hier aus rücken scheinbar grundverschiedene Werke der Malerei des 17. Jahrhunderts enger zusammen als durch Abzählen von Figuren oder durch oberflächliche Klassifizierung nach abstrakten geometrischen Kompositionsmerkmalen. Sehr deutlich wird das im Bereich derjenigen Bildgattung, welche dieses Jahrhundert im eigentlichen Sinne erst geschaffen hat, des *Landschaftsbildes* nämlich. Man irrt sicherlich, wenn man in diesen Gemälden wegen der oft kleinen, manchmal sogar fehlenden Figuren auf eine Abwesenheit des Menschen schließt und glaubt, es handle sich um nichts anderes als um imposante „peinture". Man betrachte daraufhin neben Poussin die lieblichen, vom Licht verklärten Bilder des *Claude Gellée, gen. Lorrain* (Abb. 167), die *Gewitterlandschaft Rembrandts* (Abb. 129) und die homerische des *Rubens* (Abb. 152). Ihnen allen ist, bei ganz unterschiedlicher, persönlicher Zielsetzung und trotz der verschiedenen Charaktere, jener Naturbegriff eigen und damit die „transzendentale Thematik", die das einigende geistige Band der großen Phantasiemaler im Zeitalter des Barocks bildete.

In der Sprache moderner Vulgäraufklärung ist *Rokoko* verspielt, naturfern, raffiniert, intim, kurz: dekadent – aber wunderschön. Auffällig an solchen Klischeevorstellungen ist der Kontrast zwischen moralischer und ästhetischer Wertung. Er erklärt sich einerseits aus der politischen Verurteilung des ancien régime seit der Französischen Revolution, die unbesehen auch auf die Kunst dieser Zeit übertragen wurde, und andererseits aus der formpsychologischen Kunstbetrachtung des späten 19. Jahrhunderts, der das Rokoko entgegenzukommen schien, mehr als der Barock, denn die Vorstufen dieser Kunstbetrachtung reichten in dasselbe Jahrhundert zurück, für das nun zu schwärmen Mode wurde. Dazu kam die breite Wirkung des zweibändigen Werkes der Brüder Goncourt „L'Art du dixhuitième siècle", 1873/74, und das wachsende Interesse an stilgeschichtlicher Physiognomik, das Heinrich Wölfflin, August Schmarsow und Alois Riegl angeregt hatten. Es bildete sich die Meinung, Rokoko sei so wie Gotik, Renaissance und Barock ein selbständiger umfassender Epochenstil, derjenige nämlich des 18. Jahrhunderts.

Das Rokoko verhält sich zum Barock ähnlich wie der Manierismus zur Renaissance. In beiden Fällen liegt stilgeschichtliche Inselbildung vor, indem sich gewisse Aspekte des „Mutterstils" einseitig ausbilden und verabsolutieren, ohne den Mutterstil völlig zu verdrängen. Im Rokoko ist das an der überragenden Bedeutung des *Ornaments* zu erkennen, womit die einseitige Herausbildung der dekorativen, malerischen Komponente aus der barocken Synthese angedeutet wird, ferner an einem eigentümlichen, dem Barock fremden Verhältnis zwischen privatem und öffentlichem Bereich in der Kunst und schließlich daran, daß das Rokoko im 18. Jahrhundert in vielen, künstlerisch wichtigen Fällen nur Katalysator für Sonderformen des Barocks gewesen ist. Diese strukturelle Verwandtschaft von Manierismus und Barock schließt übrigens auch viele konkrete genetische Beziehungen mit ein, die von der Kunstgeschichte aufgezeigt wurden.

In der Kunstgeschichte des 18. Jahrhunderts, deren Anfang dem Ende so wenig ähnlich sieht, bildet das Rokoko eine Episode französischen Ursprungs, die in Europa einen internationalen höfischen Geschmack hervorrief, eigentümliche Sonderformen des Barocks veranlaßte und den Siegeszug der Neoklassik nicht aufhalten konnte. Chronologisch fällt diese Episode ungefähr mit der Regierungszeit *Ludwigs XV.* in Frankreich, 1723–74, zusammen *(style Louis quinze)* und setzt sich vom Spätbarock durch eine kurze, künstlerisch maßgebliche Phase der *Régence* ab, so genannt nach der *Regentschaft Philipps II. von Orléans*, 1715–23. *Paris* war Entstehungsort, Hauptstadt und Ausstrahlungszentrum des Rokokos. Hier bildete es sich seit 1700 aus, wurde um 1720 für die Innendekoration und das Kunsthandwerk tonangebend, brachte 1730–45 die schönsten Werke dieser Art hervor und verblaßte bald im *style Pompadour*, einer Übergangsphase zum *Zopfstil* des *Louis seize*. Als *Diderot* 1761 *Boucher* im Salon heftig angriff, war das Rokoko in Paris bereits passé, während es an den europäischen Fürstenhöfen noch als modern galt. In besonderer Weise wurde *Venedig* durch politische und kulturelle Inklination und als internationale Weltstadt zu einem Vorort des Rokokos, namentlich in der Malerei, ein Umstand, der wiederum auf die Monumentalmalerei der Alpengebiete abgefärbt hat. Durchaus selbständig verhielt sich

England zum Rokoko. *William Hogarth* (1699–1764), der Schöpfer der aufgeklärten morali-
schen Satire, die Bildnismalerei von *Joshua Reynolds* und *Thomas Gainsborough*, der englische
Landschaftsgarten oder die Keramik *Wedgwoods* lassen sich besser im Rückblick des
19. Jahrhunderts als in den Grenzen des internationalen Rokokos bzw. des Barocks verstehen. Das gilt in noch höherem Maß für *Francisco de Goya* (1746–1828), den Totengräber
der europäischen Rokokomalerei.

Das *Pariser Rokoko* ist ein Kulturphänomen. Es hat sich als Reaktion gegen die gravitäti-
sche, offizielle Staatskunst Ludwigs XIV. gebildet, die alles umfaßte und grundsätzlich
öffentlichen Charakter trug. Schon im 17. Jahrhundert machte sich diese Reaktion bemerkbar, so im Akademiestreit zwischen den Poussinisten und Rubensisten und in der wachsenden Vorliebe für das Preziöse, Intime und Ungebundene, im Gegensatz zum Monumentalen,
Repräsentativen und Regelmäßigen: Gegen den Großen Stil trat nun der private Geschmack auf. Träger dieses Geschmacks (*le goût*, der Geschmack – ein Lieblingswort der
Zeit), der sich ausdrücklich im Gegensatz zum öffentlichen Stil begreift und darstellt, war
die zahlenmäßig kleine, nach Besitz und Bildung aber tonangebende städtische, aufgeklärte
Aristokratie von Paris. „Das vornehme, in seinen Abmessungen begrenzte Stadthôtel tritt
an die Stelle des seigneuralen Schlosses, wie es noch erschien im Erzbischöflichen Palais von
Straßburg, dem Château des Rohan, das seit 1731 nach Plänen R. de Cottes erbaut wurde"
(Brinckmann 1940). Der Regent selbst legitimierte den neuen Geschmack mit den Innen-
dekorationen seines italienisierenden Hausarchitekten *Oppenordt* 1716 im *Palais Royal*.
Der Financier und Kunstsammler *Crozat*, ein Verehrer *Watteaus*, wetteiferte mit ihm, und
andere folgten der Mode durch Modernisierung ihrer Hôtels (*Hôtel d'Assy, 1719, Hôtel de
Toulouse*, Abb. 169, *Hôtel de Soubise*, Abb. 170). Es kam zu einer Trennung des privaten
vom öffentlichen Bereich wie nie zuvor und auch anders als z. B. im Holland des 17. Jahrhunderts, denn der neue Geschmack ist zwar privat, aber ganz unbürgerlich. Ästhetischer
Hauptbegriff wurde die Grazie, *la grâce*, womit besonders alle durch die Regel und das
Thema nicht erfaßbaren subjektiven Schönheitswerte im Sinne Roger de Piles verstanden
werden und wozu die Annahme des Abbé Dubos (1719) paßt, daß das Gefühl, nicht der
Verstand die Kunst regle. Die Vorliebe für das *Theater* erhielt eine neue Wendung, indem
„zugleich die höchste Illusion und ihre Aufhebung durch ein ironisch-spielerisches Durch-
blickenlassen des Scheins" (N. Pevsner) angestrebt und gestaltet wurde. Das gesellschaftliche Ideal war der *Galan*, der zwar keineswegs nur der geistlose feminine Parkettheld war,
zu dem ihn die Gesellschaftskritik der bürgerlichen Parvenüs gern stempelt, für den jedoch
das Spiel mit Reflexion und Illusion, mit Empfindung und Verstand, die Dialektik von In-
tellekt und Sinnlichkeit zweifellos zur Selbstdarstellung gehörte. So ist es kein Wunder, daß
im entscheidenden Zeitpunkt der Durchsetzung dieser neuen Geschmackskultur *Antoine
Watteaus* Bilddichtungen den Namen *Fêtes galantes* erhielten.

Diese Einengung des Stilbegriffs auf einen Geschmacksbegriff, die Isolierung des Privaten
vom Öffentlichen drückt sich in der Pariser Baukunst durchgehend in dem Kontrast von
„Drinnen" und „Draußen" aus, wobei sich drinnen das Rokoko etabliert, während sich
draußen allmählich die Erstarrung des Barocks zum Neoklassizismus vollzieht. *Gabriels*
École Militaire, 1751, seine Platzfassaden der Place de la Concorde, seit 1753, die ausge-

führte Kirchenfront von St. Sulpice, seit 1745, und schließlich St. Geneviève von *Soufflot*, 1764–90, ebenso das „Pantheon" sind dafür Beweise wie die Pariser Kirchenräume dieser Zeit, die natürlich zum öffentlichen Bereich zu zählen sind und so ganz anders aussehen, als man sich oft Rokokokirchen vorstellt. Das Bindeglied zwischen Drinnen und Draußen bildete das Kostüm, das sich bis zur Revolution nicht wesentlich veränderte (Perücke). Dieses Janusgesicht gehört offensichtlich zum Rokoko, wie Paris zeigt. Nur dort also, wo sich eine ähnliche Unterscheidung findet wie z. B. im friderizianischen Potsdam, ist man berechtigt, von Rokoko uneingeschränkt zu sprechen.

Der Ruhm des Rokokos ist das *Ornament*. Damit wird nicht nur das Motiv der *Rocaille* gemeint, das im 19. Jahrhundert für die ganze Richtung namengebend wurde und rahmenförmige, muschelartige und kammähnliche Bestandteile vereint, sondern das Ganze des formalen und farbigen Zusammenhangs, in dem alles Ornament wird, nämlich: Muster und Grund. (Diese Abstraktion geht freilich nicht so weit wie etwa im Jugendstil.)

Das Gegenständliche ist im *Rokokoornament* nicht nur erkennbar, sondern wird auch als Thema anerkannt. Aber es besitzt doch nur assoziativen Wert, während der ornamentale

169 PARIS, HÔTEL DE TOULOUSE (heute Banque de France), GALERIE DORÉE. 1717–20. Hauptwerk Pariser Régence-Dekoration nach Entwurf von R. de Cotte. Ausführung von A. Vassé.

170 PARIS, HÔTEL DE SOUBISE (heute Archives de France), SALON DE LA PRINCESSE. 1737–40. Vorzügliche Rokokodekoration nach Entwurf G. Boffrands. Die Zwickelgemälde von Natoire (Originale im Louvre).

171 POTSDAM, SCHLOSS SANSSOUCI. 1744–47 als privates Refugium von Friedrich d. Gr. erbaut. Bibliothek 1756 vollendet. Vorzügliches Beispiel der Umgestaltung des Rokokos in Deutschland aufgrund lokaler, hier barocker Traditionen. Nach 1945 wieder hergestellt. Vertäfelung aus Zedernholz und Bücherschränke von Hoppenhaupt, die vergoldeten Bronzen von J. G. Kelly. Vier antike Büsten aus der Sammlung Polignac. Über der sichtbaren Homerbüste Relief mit Allegorie der Wissenschaft von B. Giese, der Deckenstuck von Merck. Gegenüber der Spiegelnische Ausblick in den Garten, wo als Blickziel die antike Statue des betenden Knaben aufgestellt war.

172, 173 HERVORRAGENDE BEISPIELE FÜR DIE ORNAMENTALE GESTALTUNG DER BOGENZONE IM KIRCHENRAUM BAYERNS ALS WECHSEL- UND ÜBERGANGSZONE VON DER WANDGLIEDERUNG ZUM GEWÖLBEFRESKO. 172 WIESKIRCHE bei Steingaden, BLICK AUS DEM OVALEN GE-

MEINDERAUM IN DEN CHOR. Die Kirche wurde 1748–53 von den Brüdern D. und J. B. Zimmermann erbaut und ausgestattet. – 173 ROTT AM INN, EHEM. BENEDIKTINERKLOSTERKIRCHE. 1759 bis 1763 von J. M. Fischer erbaut. Vorzüglich ausgestattet mit Skulpturen von I. Günther und J. B. Straub und den Deckenfresken von Matthäus Günther, 1763.

174–177 ÜBERWINDUNG DES ROKOKOS IN DER FRANZÖSISCHEN PORTRÄTSKULPTUR am Vorabend der Revolution. 174 AUGUSTIN PAJOU, MME. DUBARRY. 1773. Marmor. Höhe 70 cm. Paris, Louvre. – 175 JEAN-BAPTISTE PIGALLE, DENIS DIDEROT. 1777. Bronze. Höhe 42 cm. Paris, Louvre. – 176 JEAN-ANTOINE HOUDON, MME. HOUDON. 1787. Originalgips. Höhe 62 cm. Paris, Louvre. – 177 J.-A. HOUDON, VOLTAIRE. 1778. Bronze. Höhe 45 cm. Paris, Louvre.

178 PANTALONE, POLYCHROME PORZELLANSTATUETTE DER MANUFAKTUR NYMPHENBURG. Um 1760. Aus einer Gruppe von Figuren der Commedia dell'arte. Nach Modell von F. A. Bustelli. Schönes Beispiel für die Kleinplastik des Rokokos in dem 1708/09 von J. F. Böttger in Meißen „erfundenen" Werkstoff. München, Bayerisches Nationalmuseum.

179 FRANCESCO GUARDI, PALAZZO LABIA bei S. Geremia an der Mündung des Canareggio in den Canale Grande in Venedig. Ausschnitt. Um 1760. München, Alte Pinakothek.

169 ▷

△ 174 ▽ 176 △ 175 ▽ 177 178 ▷

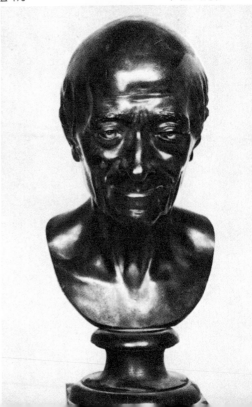

Zusammenhang die Hauptsache wird. Er ermöglicht auch die unausgesetzte Metamorphose die hier anschaulich wird, den Übergang oder Überschlag von Figur zum Ding, von Ding zur Pflanze, von Rahmen zur Füllung. Denn die ornamentale Methode vermag alles mit allem zu verbinden, sie wird bereits im Régence zur höchsten Kunst, der sich alles unter- und eingliedert. Beweis dafür ist der *französische* und *deutsche Ornamentstich*. Er hatte an der Ausbildung des Rokokos grundlegenden Anteil und blieb auch im Rokoko das Ideogramm des Stils. Nicht nur Architekten wie *Oppenordt, Meissonier, Marot, Boffrand, Cuvilliés, Decker* haben sich dem Ornamentstich gewidmet, der in Anlehnung an die Renaissancegroteske entstand, sondern auch Maler, darunter *Gillot, Watteau, Boucher*. Ein halbes Jahrhundert lang war das Ornament das Mittel, Erfindung und Geschmack zu beweisen und zugleich internationale Verbreitung zu gewinnen. Und seit 1720 gelang ihm auch mit der Durchsetzung des privaten Geschmacks in Paris die Herrschaft über alle bisherigen barocken dekorativen Mittel und Themen im Bereich der Innendekoration. Das zeigt der Vergleich einer reifen Rokokodekoration in Paris vor 1740 mit einer solchen des Régence (Abb. 169, 170). Die *Régence-Dekoration – Paris, Hôtel de Toulouse* (Abb. 169) – arbeitet noch mit dem barocken Axiom hierarchischer Unterscheidung, hält für die Wandgliederung an dem Wechsel von Pilastern und Intervallen fest, stuft ab nach Größe, Thema und Reliefgrad und erzielt so ein Wandbild in Gold und Weiß, das dem spätbarocken Ideal prunkender Gliederfülle nahebleibt. Ganz anders verhält sich das *Rokoko – Paris, Hôtel de Soubise* (Abb. 170). Hier herrscht grundsätzliche Gleichwertigkeit aller Formen, die unter dem Gesichtspunkt von Muster und Grund angeordnet sind. Es gibt keine „Ordnungen" mehr, als Leitlinien dienen nur die dünnen Leisten. Keine Abgrenzung der holzgeschnitzten, vergoldeten Ornamentik gegenüber dem Plafond, sondern eine Verknüpfung in wellenartigen Formen, die jetzt auch die Formate der Zwickelgemälde bestimmen. Geschmackvolle Verteilung der Zier, wobei der leere Grund in ausgedehnten Flächen mitzusprechen beginnt wie ein weißes Papier, auf dem man zeichnet. Man erkennt zwar unter dem ornamentalen Kleid die altfranzösische Wandvertäfelung (Panneau), aber das Wandbild läßt sich nicht mehr in Feldern lesen wie im 17. Jahrhundert, weil das, was hier Rahmen ist, dort schon „Füllung" wird und der rechte Winkel überall vermieden ist, obwohl doch Vertikale und Horizontale unsichtbar regieren. Alles hängt mit allem zusammen, aber nicht in materieller Verkettung wie im Manierismus, sondern durch Symmetrie, Analogie, Bewegungsrichtung usw. Das Einzelne geht im Ganzen auf, „tout l'ensemble" (R. de Piles) dominiert. Große Wandspiegel, die seit der Grande Galerie von Versailles Mode geworden sind, steigern den ornamentalen Charakter dieser Dekoration, denn in der Spiegelung entkörpert sich das Ornament, reduziert sich auf die bloße Erscheinung, schwebend. Das *Porzellan* bildet dazu eine perfekte Analogie, woran die bunte Bemalung, auch der Figuren, nichts ändern kann, weil Format und Glanz das Gebilde jederzeit als Kunstgegenstand ausweisen, d. h. als Ornament auffassen lassen (Abb. 178).

Die in Deutschland beliebten *Porzellan- und Spiegelkabinette* geben einen Begriff vom Zusammenwirken der Spiegel, des Porzellans und des Rokokoornaments, so in der Münchener (vor 1736) und in der Ansbacher Residenz (1739/40) oder im sog. Millionenzimmer des Schlosses Schönbrunn in Wien, wo anstelle des Porzellans indische und persische Miniaturen in Rokokoornamenten angebracht sind. Die *China-Mode* als ein Aspekt des *Exotismus*, der sich schon im 17. Jahrhundert etablierte, wird im Rokoko beliebt, wozu auch die *Lackmöbel* mit bunten Bildinseln gehören.

Überhaupt ist das *Kunsthandwerk* für das Rokoko grundwichtig. Schon die kostbaren Mosaikfußböden von *André Charles Boulle* (1642–1732) in Versailles weisen den Weg. Das Mobiliar wird ornamentalisiert, sei es durch Bronzebeschläge und Einlegearbeiten in Elfenbein, Schildpatt und Metall (Marketerie), sei es durch Einsatz von farbigen Rokokobildchen, die z. T. auch aus Porzellan gefertigt wurden, sei es durch die Bespannung mit Gobelin bei Sitzmöbeln. Prachtvolle Exemplare solcher Art von *Charles Cressent* (1685–1768) aus Paris und *Abraham* und *David Roentgen*, die in Neuwied die größte Möbelmanufaktur Europas aufbauten, besitzt die *Wallace Collection in London.* Von den Wunderwerken der Kunstschlosserei seien wenigstens die „Grilles" der Place Stanislas in Nancy (von *Jean Lamour,* 1751/52) und die in Würzburg und Werneck (von G. Oegg, um 1740) erwähnt. Das *Rokokoornament* hat in Europa Furore gemacht. Seine Verbreitung förderten besonders die Wittelsbacher in München und in Kurköln sowie Friedrich d. Gr. in *Potsdam (Schloß Sanssouci,* Abb. 171). Neben die Ornamentschnitzer und oft auch an ihre Stelle treten die *Stukkatoren.* Hervorragende Beispiele dafür bieten die Dekorationen *François Cuvilliés'* (1695–1768) in München, wie in der Amalienburg des Nymphenburger Schloßparks. 1734–39, und im Residenztheater, 1750–53. Erst jetzt – außerhalb von Paris – wird die Symmetrie für das einzelne Ornament und für große Partien (z. B. in den Hohlkehlen) aufgegeben; es bilden sich figürliche und szenische Bildinseln aus, eine Eigentümlichkeit, die in der barocken Stukkatur der Alpenländer schon lange üblich war. Alles ist in

180 GIOVANNI BATTISTA TIEPOLO, EUROPA INMITTEN DER KÜNSTE (Musik, Malerei), flankiert von Vertretern der Kirche und des Reiches, darüber Rühmung des Fürstbischofs C. Ph. von Greiffenklau, Herzog von Franken. Ausschnitt aus dem 1753 signierten Gewölbefresko im Treppenhaus der ehemaligen Residenz in Würzburg.

181 PAUL TROGER, AUFNAHME MARIÄ IN DEN HIMMEL. Ölskizze. Entwurf für das Chorfresko im Dom von Brixen, 1750 vollendet, verwendet auch für ein Deckenbild der Wiener Mariahilfkirche, 1760. Bemerkenswert die Hinzunahme der (in Brixen stukkierten) Gewölbedekoration außerhalb des Rundbildes, wobei zwischen beiden Zonen das Puttenpaar auf Wolken und die scharfe Beleuchtung vermitteln. Trotz solch spätbarocker Mittel kündigt sich im Kolorit der Übergang zum Rokoko deutlich an. München, Bayerisches Nationalmuseum, Sammlung Reuschel.

182 ANTOINE WATTEAU, DAS LADENSCHILD DES KUNSTHÄNDLERS GERSAINT. 1720. Käufer, Kenner und Genießer im Bilderladen des Gersaint. Erworben durch Friedrich d. Gr. Berlin-Charlottenburg, Verwaltung der Staatlichen Schlösser.

183 JEAN BAPTISTE SIMÉON CHARDIN, DAS TISCHGEBET. 1739/40. Paris, Louvre.

184 ANTOINE WATTEAU, GILLES II. Ein Schauspielerporträt. 1717–20. Paris, Louvre.

185 ALEXANDER ROSLIN, DAME MIT SCHLEIER. 1768. Bildnis der Frau des Künstlers, der Pastellmalerin Marie Suzanne Roslin. Stockholm, Nationalmuseum.

186 FRANÇOIS BOUCHER, VENUS ANADYOMENE. Ausschnitt aus dem TRIUMPH DER VENUS. 1740. Stockholm, Nationalmuseum.

187 JEAN HONORÉ FRAGONARD, LA GIMBLETTE. So genannt nach dem Zuckerkringel, mit dem das Mädchen seinen Schoßhund neckt. Wohl 1. Fassung dieses in mehreren Varianten bekannten „galanten" Themas. Paris, Collection Cailleux.

180 ▷

187

Süddeutschland und Österreich reicher, plastischer, spannungsvoller als in Paris, andererseits auch beweglicher und heiterer als etwa in Sanssouci und Charlottenburg. Viel häufiger aber als solche relativ „reine" höfische Rokokodekorationen findet man Mischungen und Verbindungen mit dem nun völlig geschmeidig gewordenen Barock. Man betrachte nur den *Gnadenaltar J. M. Küchels in Vierzehnheiligen* (Abb. 50), dessen vier große, mit Figuren bevölkerte, ornamentbesetzte hochgestellte Voluten im Grunde nichts anderes sind als Berninis Baldacchino, aber ohne die vier Säulen. Solche Beispiele lassen sich vermehren. Sie sind in Frankreich undenkbar und wurzeln in einer lokalen barocken Überlieferung, die bereits um 1700–25 nach Ornamentalisierung strebte. Sie äußerte sich nicht nur im Kunsthandwerk, sondern auch in monumentaler Architektur. Das *Wiener Belvedereschloß J. L. von Hildebrandts* (Abb. 38, 39), der *Zwinger in Dresden* (Abb. 42) oder die Fassaden des Preysingpalais von Johannes Effner in München sind hervorragende Beispiele. Zweifellos hat der französische Einfluß, hauptsächlich vermittelt durch die Fürstenhöfe, die barocke Selbstverwandlung gefördert und auch geprägt, nicht aber ersetzt.

Das wird nirgends deutlicher als im bairischen Kirchenbau 1730–60. Hier wirkte sich das Rokokoornament als baukünstlerisches Motiv in einer Weise aus, die in Frankreich unbekannt blieb. Paradebeispiel ist die *Wieskirche* der Brüder *Dominikus* und *Johann Baptist Zimmermann* (Abb. 172). Der Kranz von Freistützen, der im Gemeinderaum vor die reichlich durchfensterten Mantelmauern gestellt ist, so daß er innen den Kern des ovalen Kirchenraums und außen einen Umgang bildet, wird locker durch ein „Maßwerk" an Ornamenten zusammengebunden, die hier die herkömmliche Bogenform ersetzen und bis zu dem großen Deckenfresko reichen, in das hinein sie wie hochgeschobene Wellenkämme ragen. Sie stellen also eine Zone des Übergangs zwischen Bau- und Bildwerk dar. Noch entschiedener ist diese Verknüpfung von Freistützen mit der Gewölbeschale im zweigeschossigen Chor durchgeführt. Hier baut das Ornament buchstäblich mit, ebenso wie das Licht und die Farbe. Wie ist diese extreme Ornamentalisierung kirchlicher Baukunst architekturgeschichtlich zu verstehen?

Voraussetzung war die um 1700 erreichte Vereinigung von Wandgliederung mit dem großen polychromen Gewölbefresko im Kirchenraum. Damit war dem Architekten bereits die Aufgabe gestellt, diese beiden Bereiche ähnlich zu verbinden, wie das für Fresko und Altararchitektur bereits erreicht war. Von den verschiedenen Lösungen dieser Aufgabe ist in unserem Zusammenhang nur diejenige von Belang, die J. M. Fischer bereits in seinen Erstlingsbauten seit 1727 schuf. Sie besteht in einer alternierenden Festigung und „Erweichung" von Pfeilern und Archivolten (= Bögen), dergestalt, daß sich zwischen Freistützen oder Wandpfeilern und Gewölbeflächen, die bei Fischer immer ein großes Fresko tragen, eine Bogenzone als „Wechselzone" herausbildet (München, St. Anna am Lehel, 1727; Ingolstadt, zerst. Franziskanerkirche, seit 1734; ehem. *Klosterkirche in Rott am Inn*, Abb. 173): Frontale, geschärfte und gekehlte bzw. gewölbte, weiche Bögen wechseln miteinander ab, so daß der Kernraum und die meist in den Diagonalen angeordneten lichtgefüllten Abseiten im Sinne von Muster und Grund gestaltet erscheinen und auch der Übergang zu den Gewölbefresken bewerkstelligt ist. Damit war die Ornamentalisierung der Bogenzone, wie sie die Brüder Zimmermann in Steinhausen, dann in der Wieskirche gestalteten, legitimiert.

Ebenso wichtig aber war es, daß die Brüder *Asam* bereits ihre Kirchenräume in *Weltenburg* (Abb. 98), in Rohr, Osterhofen und schließlich in München (Nepomukkirche, seit 1733) mit ganz unrokokomäßigen Mitteln dekorativ völlig vereinheitlicht hatten. Es bestand also noch vor dem Pariser Rokokoornament in Bayern eine barocke Kirchenraumdekoration, die imstande war, Wandarchitektur und Gewölbemalerei zusammenzufassen. Da Fischer, der Baumeister, und die Brüder Asam, der Stukkateur und der Maler, sowohl in der erwähnten Münchener Annenkirche als auch in Osterhofen zusammengearbeitet hatten und Fischer andererseits mit dem Stukkateur und Maler J. B. Zimmermann und mit Cuvilliés Kontakt hielt, erklärt sich aus der barocken Tradition Bayerns zwanglos, was irrtümlich als Effekt des Rokokos beurteilt wird. Die Rolle des Ornaments als Bindeglied von Bau- und Bildform ist im barocken Kirchenbau der Alpenländer vorbereitet und in Werken vollendet worden, die noch niemand bisher als „unarchitektonisch" empfunden hat.

Einen Generalnenner für alle Strömungen, Lokalschulen, Meister und Aufgaben der Malerei von 1700–60 zu nennen, ist unmöglich. Gegenüber der „klassischen" Barockmalerei des 17. Jahrhunderts gibt es aber doch eine Gemeinsamkeit, die sich immer schärfer herausbildet und zweifellos mit dem Rokokogeschmack zusammenhängt, nämlich der absolute Vorrang der koloristischen Einheit vor der Figurenbildung und damit eine einseitige Zunahme des „Malerischen". Das lyrische Moment dominiert. Zu den Folgen dieses Stilwandels gehört der tapisserieartige Bildeindruck bei *Boucher* (Abb. 186) ebenso wie das rauchige Helldunkel der Fresken F. A. *Maulbertschs*, das Gewichts- und Fleischlose der Figuren *Tiepolos* (Abb. 180), das Lagern, Hinsinken, Tänzeln und Daherschweben der Personen auf den stimmungsvollen Bildbühnen *Watteaus* (Abb. 182), *Lancrets* oder *Paters*, aber auch der keck vorgezeigte Skizzenstil *Solimenas*, *Magnascos*, *Piazzettas* oder *Trogers* (Abb. 181), der die Farberscheinung eines Gemäldes der Handschrift von Handzeichnungen annähert. Vom Barock her gesehen wird der Verlust an Sprachgewalt der Figuren deutlich: Wie anders packen doch Kastor und Pollux bei *Rubens* (Abb. 148) zu, wenn es gilt, die Schwestern Phoibe und Hilaira in den Sattel zu heben, als der Triton *Bouchers*, der wie ein Kulissenschieber im staubtrockenen Wellengekräusel die blaßhäutige Nymphe mit dem unbewegten Kindergesicht hochstemmt (Abb. 186). Wie nah, selbstsicher und naiv tritt der Mijnheer *Terborchs* (Abb. 135) auf, verglichen mit der rätselhaften Erscheinung des Schauspielers *Gilles* von *Watteau* (Abb. 184). Mag man auch *Caravaggios Bacchus* (Abb. 108), für sich betrachtet, psychologisch schwierig finden – wie unverhüllt offen und unkompliziert wirkt doch dieser Bursche im Kontrast zu *Roslins verschleierter Dame* (Abb. 185). Blickt man jedoch vom 19. Jahrhundert zurück, dann zeigt sich der Zuwachs an psychologischer Form, die Fähigkeit, bestimmte Stimmungen durch das Kolorit eines Bildes zu erwecken, der Kunstgriff, mittels Pinselfaktur ein nervöses, flackerndes Leben über „tote" Dinge zu breiten oder rein ornamentale Linienschönheit zu erzeugen.

In der italienischen Malerei übernimmt nun *Venedig* die Führung. Die venezianische Vedute wird, was sie bis heute geblieben ist: begehrter Wandschmuck, unerläßliches Bildungs- und Geschmackssymbol, Inbegriff des Pittoresken. Schon die schwerelose Luminiszenz der *Veduten Canalettos* (1697–1768) mit ihrer geheimen Geometrie bei vollständiger Deutlichkeit im Gegenständlichen kam dem Geschmack des Jahrhunderts mehr entgegen als die pathetische oder antiquarische *römische Vedutenmalerei Panninis, Vanvitellis.* Hinzu traten zwei Moden, die sich zwar außerhalb Venedigs, hauptsächlich in *Neapel (Giordano, Solimena)* und *Genua (Magnasco)* entwickelt hatten, in Venedig aber zur höchsten Blüte gelangten. Die eine bestand in dem phantasievollen Spiel mit den weltbekannten Architekturmotiven Venedigs und der Antike, als *Capriccio* bezeichnet und auch in der Graphik durch die suggestiven Architekturgrotesken *G. B. Piranesis* (1720–78) hintergründig ausgebeutet (Radierungsfolge der „Carceri" z. B.). Die zweite Mode war der „Skizzenstil", also eine von der Handzeichnung auf das Gemälde übertragene bravouröse Künstlerhandschrift, die im Jahrhundert der Kenner und Kunstsammler sich steigender Beliebtheit erfreute. Eine Zusammenfassung all dieser Momente findet man in den Werken *Francesco Guardis* (1712–93). In seinen meist kleinformatigen Veduten verwandelt er das gebaute Venedig in eine pittoreske optische Sensation, die die Europäer so gefangennahm, daß sie Guardis scheinbar impressionistisches Farbgewand für die wahre Physiognomie Venedigs halten (Abb. 179). Als Kolorist war Guardi sowie *Giovanni Battista Piazzetta* (1683-1754) Parteigänger der *Tenebrosi,* der Helldunkelmaler. Diese Methode hatte sich während des 17. Jahrhunderts besonders in *Neapel* als Unterströmung erhalten, die realistische Färbung der Caravaggiozeit verloren und eklektizistische und koloristische Züge angenommen, die namentlich auf österreichische und deutsche Freskenmaler (Abb. 181) nachhaltig einwirkten. Dennoch lag die Zukunft des Kolorismus nicht bei den Tenebrosi, sondern bei *Giovanni Battista Tiepolo* (1696-1770). Sein Ruhm ist es, aus dem artistischen Partikularismus des venezianischen Skizzenstils und der Helldunkelmalerei heraus und seit 1727–29 zu einer Freskomalerei (Udine, Fresken im erzbischöflichen Palast) gelangt zu sein, deren Transparenz, Gewichtslosigkeit und schattenlose Helligkeit nochmals eine Blüte des barocken Figurenideals auf einer neuen, psychologisch und koloristisch verfeinerten Ebene erlaubte. Nicht Rubens oder Cortona, sondern Veronese war Tiepolos Leitstern, nicht Venus, sondern Diana wurde sein mythologisches Ideal. Zu seinen Fresken gehört „das Wagnis so ausgedehnter Himmelsflächen" (Brinckmann), das nur in der magistralen Nutzung aller Grau- und Brauntöne bewältigt werden konnte, und eine festliche Gesamtwirkung, die an den Meisterwerken in *Würzburg* (Abb. 52, 180), im Palazzo Labia, der Cà Rezzonico in Venedig und der Palastvilla der Pisani in Strà nie genug bewundert werden kann. Bevor Tiepolo 1762 nach Madrid ging, hat er als Lehrer (so z. B. auf Crosato, Fresken im Schloß von Stupinigi) und durch seine Werke, zu denen Altarbilder und mythologische Gemälde gehören, auch auf französische Maler gewirkt.

In der Geschichte der *französischen Malerei* zur Zeit der Régence und des Rokokos überragen vier Meister: *Watteau, Chardin, Boucher* und *Fragonard. Antoine Watteau* (1684 bis 1721), um 1702 noch ein namenloser Fachmaler niederländischer Manier, 1717 als „peintre de fêtes galantes" in die Akademie aufgenommen, ist der Erfinder jener traumhaftschönen Bildwelt, die sich die aufgeklärte Aristokratie als lyrisches Arkadien ersehnte. Das Rokoko hat ihn zu seinem Führer erklärt, die Damen kleideten sich nach den Phantasiekostümen seiner Bilder, seine Kompositionen wurden Möbeln und Porzellangefäßen aufgeprägt und bis zu den kleinen Kabinettbildern von *Norbert Grund* in Prag nachgeahmt. Zwei Quellen haben Watteaus Phantasie gespeist: Rubens, dessen Bilder der Maler aus

Valenciennes seit 1709 im Palais du Luxembourg und bei dem Kunstsammler Crozat studierte, und das Theater, dem der Meister liebevoll anhing, was in zahllosen Figurenstudien, Szenenbildern und Rollenporträts (Abb. 184) zum Ausdruck kommt. Wer aber vom späten Rubens (Liebesgarten, Prado; Venusfest, Wien) zu den Liebesfesten auf Cythere (Louvre, Berlin) oder im Park (Dresden, Wallace Collection) und dem *Firmenschild für Gersaint* (Abb. 182) des Spätgeborenen blickt, erkennt die Verpuppung herzhafter, universaler Weltoffenheit in den stimmungshaften Bildern Watteaus. Man ist versunken, selbstvergessen, verloren an Kunst, Musik, Gefühl. Die Figur verliert sich im Bild oder gerinnt zu bloßer Erscheinung, die alles oder nichts sein kann. Metapher für den Menschen ist der Schauspieler (Abb. 184).

Jean-Baptiste-Siméon Chardin (1699–1779) ist irdischer, bürgerlicher, skeptischer als Watteau. Sein Thema ist die vergängliche, durch treuherzige Auffassung gereinigte, im Farbgewand des Bildes zu ungeahntem Leben auferweckte Existenz von Mensch, Tier und Ding. Dazu paßt es, daß Chardin als Maler Autodidakt war, ein Tischlersohn, den der Bildnismaler *Largillière* entdeckte und der 1728 als „Tier- und Früchtemaler" in die Akademie aufgenommen wurde. Was ihm die Gunst seiner Zeit verschaffte, war sicher etwas anderes, als was W. Pinder und wir heute an ihm schätzen, nämlich die stupende Imitation stofflicher Eigenart. Demgegenüber legt man heute mehr Wert auf die Themen des Figurenmalers, die Alltägliches in unsentimentaler Sicht darstellen: eine Rübenputzerin, einen Knaben, der ein Kartenhaus baut, das *Tischgebet* (Abb. 183) im bescheidenen Milieu. Diese Themen haben in der niederländischen Malerei ihre Vorbilder; aber Chardin übersetzt sie aus der feiertäglichen, von Besitzerstolz und Ordnungssinn prunkenden Ruhe in eine graue Wahrhaftigkeit, die Gegenstand einer malerischen Verzauberung wird. Chardin kennt keine Tonmalerei, selbst die prachtvollen Pastellbildnisse, die er im Alter schuf, sind reine Farbkompositionen, insofern wahrhaftige Vorstufen des Impressionismus. Was sie aber auszeichnet und vom Impressionismus trennt, ist die Sensation von Geruch, Gehör, Geschmack, die mit seiner Darstellung toter Dinge verbunden ist. Biologie und Optik verbinden sich eng in dieser Kunst, die trotz der unansehnlichen Themen wie ein kostbares Parfum genossen werden will.

François Boucher (1703–70) traf das Verdammungsurteil der bürgerlichen Kritik wegen des mangelnden thematischen Tiefgangs, den man freilich bei diesem Maler schwer leugnen kann. Deutlich genug zeigt jedoch jedes der guten Gemälde des anerkannten, von Mme. Pompadour hochgeschätzten Meisters, der – 1723 schon preisgekrönt – 1727–34 in Italien studierte, daß die Themen nur Anlaß sind für ein formales und farbiges Spiel, bei dem es um die gläserne, hermetische Verspiegelung der Figur im Bilde geht. Boucher ordnet seine Figuren, deren lineare Reinheit entzückt, zu ornamentalen Mustern an und konserviert sie im zarten Kolorit wie Blumen im Herbarium (Abb. 186). Offenbar gibt es für ihn nur einen unverzeihlichen Fehler, nämlich den einer Verosimilität. Als Zeichner dagegen war Boucher ein ausgezeichneter Beobachter und besonders in seinen Tierdarstellungen von erfrischender Natürlichkeit. Sobald er aber solche Motive in seine Gemälde übertrug, verliert sich dieser Charme im Form- und Farbenherbarium des Bildwerks.

Scharf unterschieden von solch gläsern zarter, ornamental geprägter und mit feinsten Farben gepuderter Kunst tritt diejenige des Südfranzosen *Jean Honoré Fragonard* (1732–1806) auf, des Bürgerschrecks und eines Koloristen von Gottes Gnaden. Italien lag ihm wohl näher als Boucher. 1756–61 hielt er sich in Rom auf, wo er mit dem Ruinenmaler Hubert Robert befreundet war, und 1773 kehrte er nochmals dorthin zurück. Lange vor Goethe muß er dort etwas vom Urtümlich-Naturhaften, Orphischen erfaßt haben. Er ist der einzige französische Maler, der den Menschen nicht in gesellschaftlicher Konvention isoliert. Er allein war imstande, das galante Genre von aller Peinlichkeit frei und ohne psychologische Winkelzüge zu behandeln: selbst bei gewagten Themen ist er nicht lasziv (*La Gimblette*, Abb. 187). Den Brüdern Goncourt zufolge war er ein Malergenie, aber reiner Sensualist. Davon kann keine Rede sein. Er ist geist- und phantasievoll, niemals bloßer Farbklecks und in allen Themen zu Hause. Ein Gemälde von solch poetischem Reichtum wie das Fest in St. Cloud, das Fragonard 1770 für den Herzog von Toulouse malte (Paris, Banque de France), ist in den drei dargestellten Szenen zugleich von entwaffnender Natürlichkeit und springlebendig. Die glänzende Bilderreihe von seiner Hand in der Wallace Collection, aus der gewöhnlich nur die Schaukel, 1766, als kulturgeschichtliche Illustration vorgezeigt wird, gibt eine umfassende Anschauung von dem Menschen Fragonard, der inmitten einer polarisierten Kunstwelt noch einmal das Ganze der menschlichen Natur in feurigen farbigen Visionen darzustellen wußte.

Die großen französischen Maler des Dixhuitième bilden den Kontrapunkt zum Rokoko. Dessen Physiognomik wird, wie nicht anders zu erwarten, am deutlichsten in der *Bildnismalerei*. Denn in dieser Gattung spricht sich das neue Geschmacksideal einer tonangebenden Gesellschaft naturgemäß am reinsten aus und wurde auch besonders schnell und konventionell verbreitet, wofür *Antoine Pesne* (1683–1757) in Berlin, *Georg Desmarées* (1697 bis 1776) in München und *Pietro Longhi* (1702–85) in Venedig Beispiele liefern. Daß dabei auch das *Pastellporträt* an Bedeutung gewann, in Venedig (*Rosalba Carriera*) und in Paris (*Maurice Quentin de La Tour*), erklärt sich in Analogie zum hochgeschätzten *Porzellan* (*Pantalone*, Abb. 178) leicht, wobei *Chardins* Altersporträts gewiß eine Sonderstellung einnehmen. Denn in der Regel drängt das Rokokobildnis zur Maskierung der Person, die in einer idealen, meist kindlichen Verschönerung dargestellt wird. Trotzdem erhielt sich im Porträtfach bei Malern und Bildhauern während des 18. Jahrhunderts stets ein Vermögen zur Charakteristik des Individuums, so daß die Reaktion gegen die gesellschaftliche Verpuppung des Menschen sich gerade im französischen Bildnis seit 1770 mächtig regen konnte. Voran gingen die *Bildhauer* (Abb. 174–177). Sie haben die schöne Fassade des Rokokoporträts endgültig zerstört: „Das Individuum triumphiert über die Konvention, der Charakter über die Dekoration" (E. Hildebrandt). Man denkt dabei vor allem an die glänzende Reihe der *Bildnisbüsten Jean-Antoine Houdons* (Abb. 176, 177), in denen so gut wie alle der Großen, Bedeutenden oder Berüchtigten am Ende des ancien règime verewigt wurden. Kurz aber blieb der Traum von dem Sieg des Individuums und von der nun angekündigten Verallgemeinerung privater Freiheit. Dem genialen Geschichtsschreiber bedeutender Physiognomien Houdon blieb es nicht erspart, im Alter an die Aufgabe des öffentlichen Denkmals heranzugehen im Korsett neuer Konventionen mit der Erwartung einer neuen Dekoration. Die Neoklassik forderte wieder den großen Stil, die öffentliche Kunst, den Dienst am Staat.

BIBLIOGRAPHIE

BAROCK

Die Epoche – der Stil

BURCKHARDT, J. Erinnerungen aus Rubens (1897). Leipzig 1928

BAROCK IN BÖHMEN. Hsg. von K. M. Swoboda. München 1964

FRIEDRICH, C. F. Das Zeitalter des Barock. Stuttgart 1954

HASKELL, F. Patrons and Painters. Ldn. 1963

HAUTECŒUR, L. Louis XIV. Paris 1953

HUIZINGA, J. Holländische Kultur des 17. Jh. Jena 1932

JEDIN, H. Katholische Reformation oder Gegenreformation? Leipzig 1949

JUSTI, C. Velázquez und sein Jahrhundert. 2 Bde. Bonn 1922/23

KUNSTFORMEN DES BAROCKZEITALTERS. 14 Vorträge. Hsg. von R. Stamm. Bern 1956

MÂLE, É. L'art religieux après le Concile de Trente. Paris 1932

WÖLFFLIN, H. Kunstgeschichtliche Grundbegriffe (1915). 1956

Gesamtdarstellungen

HUBALA, E. Die Kunst des 17. Jh. Propyläen Kunstgeschichte. Bd. IX. Berlin 1970

PELICAN HISTORY OF ART. Hsg. von N. Pevsner: BLUNT, A. Art and Architecture in France 1500–1760. Harmondsworth 1953 – HEMPEL, E. Baroque Art and Architecture in Central Europe. Harmondsworth 1965 – KUBLER, G., and M. SORIA Art and Architecture in Spain, Portugal and their American dominions. Harmondsworth 1959 – WITTKOWER, R. Art and Architecture in Italy 1600–1750. Harmondsworth 1965

Architektur

BRAUER, H., und R. WITTKOWER Die Handzeichnungen des Gianlorenzo Bernini. 2 Bde. Berlin 1930 (u. Reprint)

BRAUN, J. Die Kirchenbauten der deutschen Jesuiten. 2 Bde. Freiburg i. Br. 1908–10

DOWNESS, K. English Baroque Architecture. London 1966

FRANKL, P. Die Entwicklungsphasen der neueren Baukunst. Leipzig-Berlin 1914

GUARINI, G. Architettura civile. Hsg. von Vittone 1732 (u. Reprint)

GURLITT, W. Geschichte des Barockstils, des Rokokos und des Klassizismus. 3 Bde. 1887–89

HAUTECŒUR, L. Histoire de l'architecture classique en France. Teil I und II. 3 Bde. Paris 1948 ff.

HAUTTMANN, M. Geschichte der kirchlichen Baukunst in Bayern, Franken und Schwaben 1550–1760. München 1923

HUBALA, E. Renaissance und Barock. Frankfurt (Main) 1969

KERBER, O. Von Bramante bis Lucas von Hildebrandt. Stuttgart 1947

LOHMEYER, K. Die Baumeister des rheinisch-fränkischen Barocks. Augsburg-Wien 1932

NEUMANN, G. Neresheim, München 1947

PINDER, W. Deutscher Barock. Die großen Baumeister des 18. Jh. Düsseldorf 1912

REUTHER, H. Die Kirchenbauten Balthasar Neumanns. Berlin 1960

ROSE, H. Spätbarock. München 1922

SEDLMAYR, H. Österreichische Barockarchitektur. Augsburg 1930

THELEN, H. Francesco Borromini – die Handzeichnungen 1. Abt. 2 Bde. Graz 1967

Skulptur

BRINCKMANN, A. E. Barockplastik (Handbuch für Kunstwissenschaft). Berlin-Neubabelsberg 1917

– Barockbozzetti. 4 Bde. Leipzig o. J.

FALDI, I. Scultura barocca in Italia. Mailand 1958

LADENDORF, H. Andreas Schlüter. Berlin 1937

MAGNI, G. Il Barocco a Roma nell'architettura e nella scultura decorativa. Turin 1911–13

PINDER, W. Deutsche Barockplastik. Königstein 1933

RICCOBONI, A. Roma nell'arte. La Scultura nell'evo moderno. Rom 1942

WEISE, G. Spanische Barockplastik. 2 Bde. Reutlingen 1939

WITTKOWER, R. G. L. Bernini, The Sculpture of the Roman Baroque. London 1965

Malerei

BADT, K. Die Kunst des Nicolas Poussin. 2 Bde. Köln 1968

BODE, W. VON Rembrandt und seine Zeitgenossen. Leipzig 1906. Neu hsg. von E. PLIETZSCH: Die Meister der holländischen und flämischen Malerschulen. Leipzig 1958

DROST, W. Barockmalerei in den germanischen Ländern (Handbuch für Kunstwissenschaft). Wildpark-Potsdam 1926

GLÜCK, G. Rubens, van Dyck und ihr Kreis. Wien 1933

JANTZEN, H. Niederländische Malerei des 17. Jh. Leipzig 1912

LASSEIGNE, J. La peinture espagnole. 2 Bde. Genf 1952

POENSGEN, TH. Die Gestaltung der im Barock ausgemalten Langhausgewölbe der Kirchen in Rom und im übrigen Italien. 1965

SCHNEIDER, A. VON Caravaggio und die Niederländer. Marburg 1933

THUILLIER, J. Französische Malerei II: Von Le Nain bis Fragonard. Genf 1964

TINTELNOT, H. Die barocke Freskomalerei in Deutschland. München 1951

VOSS, H. Die Barockmalerei in Rom. Berlin 1924

ROKOKO

Allgemein

BRINCKMANN, A. Die Kunst des Rokoko. Berlin 1940

EUROPÄISCHES ROKOKO, Kunst und Kultur des 18. Jh. Ausstellungskat. München 1958

FEULNER, A. Bayerisches Rokoko. 2 Bde. München 1923

FEULNER, A. Skulptur und Malerei des 18. Jh. in Deutschland (Handbuch für Kunstwissenschaft). Wildpark-Potsdam 1929

HILDEBRANDT, E. Malerei und Plastik des 18. Jh. in Frankreich (Handbuch für Kunstwissenschaft). Wildpark-Potsdam 1924

Ornament

CATHEAU, F. DE La decoration intérieure des hôtels parisiens au début du 18e siècle. In: Gazette des Beaux Arts. 271–84. 1957

FEULNER, A.: Kunstgeschichte des Möbels. Berlin 1927

KIMBALL, F. The Creation of the Rococo. Philadelphia 1943

WILCKENS, L. VON Fest- und Wohnräume deutscher Vergangenheit: Barock bis Klassizismus. Königstein 1967

REGISTER

Die fettgedruckten Zahlen sind Abbildungsnummern

194

INHALT

FOTONACHWEIS Alinari, Florenz 10, 14, 16, 18, 20–21, 29, 32, 83, 85, 110–111, 118 – Anderson, Rom 13, 82, 87–88, 91, 113, 117, 119 – Archives Photographiques, Paris 59 – Baerend, München 9 – Bayer. Nationalmuseum, München 178 – Bayer. Staatsgemäldesammlungen, München 125, 128, 179 – Bayer. Verwaltung der staatl. Schlösser, München 101 – Bildarchiv Foto Marburg 17, 102 – J. Blauel, München 137, 140, 148, 149 – Brenci-Angeletti, Rom 89–90 – British Museum, London 168 – F. Bruckmann Verlag, München 181 – Bulloz, Paris 184 – H. Busch, Frankfurt/M. 42, 172 – J. Cailleux, Paris 187 – Cas Oorthuys, Amsterdam 78 – Chomon-Perino, Turin 28 – Columbia University, New York (Schutzumschlag Rückseite) – Combier-Viollet, Paris 66 – Deutscher Kunstverlag, München 51–52 – Devonshire Collection, Chatsworth 154, 164 – Fine Arts Gallery, San Diego 126 – Frans Halsmuseum, Haarlem 136, 138 – E. Frodl-Kraft, Wien 31, 35, 40, 43, 45 – Germanisches Nationalmuseum, Nürnberg 47 – Giraudon, Paris 56, 106, 124, 156, 159–161, 163, 169–170 – Herzog-Anton-Ulrich-Museum, Braunschweig 129 – H. Hinz Basel (Schutzumschlag Vorderseite) – Institut für Film und Bild, München 104 – A. F. Kersting, London 76–77 – Kgl. Schloß, Stockholm 95 – Kunsthistorisches Institut der Universität Kiel 22, 55, 57–58, 60–63, 65, 71–73 – Kunsthistorisches Museum, Wien, Foto Meyer 143, 150, 151 – Landesbildstelle Berlin 97 – A. Laprade, François D'Orbay, Paris 67 – P. Ledermann, Wien 38–39 – Lennart af Petersens, Stockholm 80 – G. Mangin, Nancy 158 – MAS Barcelona 94 – Mauritshaus, Den Haag 141 – E. Müller, Kassel 68 – Musées de la Ville, Strasbourg, Foto Franz 127 – Musées Nationaux, Paris 114, 174–177, 183 – National Gallery, London 135, 142 – Nationalmuseum, Stockholm 157, 185–186 – Photo Meyer, Wien 96 – Th. Poensgen, Berlin 120 – J. Remmer, München 121, 123, 133 – Retzlaff-Bavaria, Gauting 173 – G. Reinhold, Leipzig 167 – Rijksmuseum, Amsterdam 79, 86, 130, 132, 134, 144–145 – Roger-Viollet, Paris 70 – J. Roubier, Paris 69 – Scala, Antella-Florenz 108–109, 115, 122, 152, 155 – T. Scott, Edinburgh 166 – H. Schmidt-Glassner, Stuttgart 98, 103 – T. Schneiders, Lindau 41, 44, 54, 81 – E. Smith, London 74, 75 – Staatl. Graphische Sammlung, München 11 – Staatl. Museen, Berlin, Foto Steinkopf 84, 105, 116, 139, 146, 147, 153 – Staatl. Museen, Berlin, Kunstbibliothek 33 – Staatl. Schlösser und Gärten, Potsdam-Sanssouci 171 – Staatsbibliothek, Berlin 34 – J. Steiner, München 46, 48–50 – F. Stoedtner, Düsseldorf 131 – Strähle, Schorndorf 53 – Tecniphoto-Napoli 162 – Telarci-Giraudon, Paris 165 – Ullstein, Berlin 30 – Universitätsbibliothek Zagreb 37 – Verwaltung der Staatl. Schlösser und Gärten, Berlin 182 – Vienna Press, Wien 107 – E. Zwicker, Würzburg 180.